Nゲージファインマニュアル 12

ストラクチャーのアイディア工作

SHIN企画

目　次

奥行を拡げる鏡の取付

　レイアウトの要所に鏡を組込むと深い奥行が感じられ，特に端のあたりに設置されている場合は，景色がこの先まで続くように見えて効果的。ただ，実在しない空間を創り出すだけに，設置の仕方によっては気になる世界が誕生することにもなってきます。覗き込む自分の姿まで映り込む取付かたはもちろん避けるのですが，2本の列車が並んで走行したり，同時に発車や停止をするようなシーンも不自然なもの。先に仮置きしてさまざまな方向から眺め，設置場所や設置角度を充分に検討することが大切と言えるでしょう。

　最初に触れておきたいのは使用する鏡についてです。当然ながら設置場所に合わせたサイズのものが欲しいのですが，大きな鏡から必要な寸法に切り出すのは無理と言えそう。希望するサイズにできるだけ近いものを探すか，入手した鏡に合わせて設置場所や設置方法を決めるのが現実的ということになります。

　手頃なサイズでは？と目をつけたのはハンディーサイズの化粧鏡で，これなら100円ショップなどでも入手でき，寸法が異なるもの何種かが見つかるはず。ほとんどは写真1のようにプラ製のケースにセットされており，これから抜き出した右のような状態で使うことになります。

　作例の工作ではケース部分をニッパーで徐々にカットしてみましたが，接着固定されている場合もあり，このあたりは購入したものの様子を見ながら対応。無理にひねったりすると鏡が割れる心配もあり，ケガをしないように充分に注意して作業してください。ただ，設置のしかたによってはケースを残したままで済む場合があり，先に検討しておけば無駄な作業をすることもなくなります。

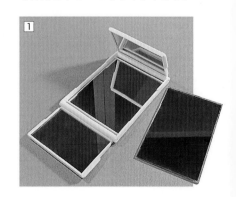

①

3

これらの鏡はガラス板の裏側が反射面となったもので，**写真2**のようにストラクチャーなどを当ててみるとわかるとおり，鏡に映った像との間にガラスの厚み分の隙間が生じることになります。この隙間が生じない光学用の鏡もあるのですが，入手の面や価格の面から使いやすいのはやはり通常の鏡と言えそう。ガラスが薄いものほど隙間が目立ちにくいのですが，厚手の鏡しか入手できない場合は，眺める方向を工夫するなど，隙間の存在ができるだけ気にならないようなシーンを展開させるほうが良いと思えます。

このほか，建築模型用として光栄堂からは「模型用エンビ板 ミラー」という素材も発売されており，これは**写真3**のように隙間が生じないことが特徴。ハサミやカッターナイフで簡単にカットできるのも嬉しいところと言えるでしょう。ただ，0.5mmという厚さなので，設置する際には合板など，平らな面に密着させておくことが大切。反ったりねじれたりした取付では，鏡に映った像が歪んでしまうことになります。

以下，いくつかの作例をご覧に入れますが，いずれも効果が大きいと思われるレイアウトの端のあたりに設置することを想定。ストラクチャーと組合わせでは想像していなかった映り込みが思いがけない効果を見せることもあり，アイディアもいろいろ駆使したいところです。

上写真でご覧に入れたのは，築堤区間の途中で線路をくぐる道路がずっと先まで延びているというシーン。もちろん道路をそのまま川に置き換えてみるのも良さそうです。実際にはこの線路は**写真4，5**のようにレイアウトの最深部を通っており，背景板の表面となる位置から路盤までは15mm程度しかありません。

このように眺める方向を限定すれば，想像以上の効果を見せる鏡の設置ですが，不自然さを抑えるために考えておかなくてはならないのが鏡の端部の処理。すなわち，鏡の中の

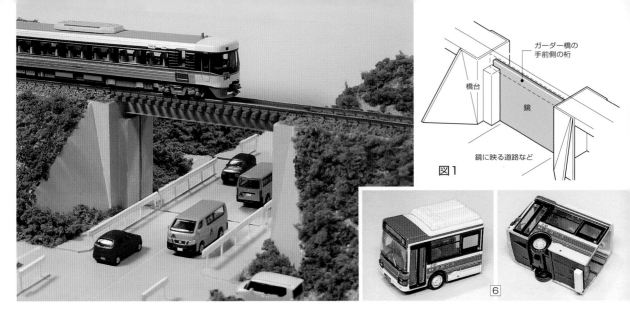

図1

6

世界とその外側の世界を違和感なくつなげることが大切ということになります。この作例では鏡の上側をガーダー橋の桁で，左右の端は橋台で隠してあり，図1のように半分だけ作った橋台の向こう側から鏡を押し付ける設置にしてみました。

また，鏡面に映る画像は当然ながら反転したものになり，道路に置いた自動車は鏡を境に逆向きに進行。特に車線区分がはっきりとした道路では違和感があり，鏡にあまり近いところには置かないほうが良いと言えるかも知れません。逆に，鏡面に跨がる自動車を配置することはできないだろうか？と，作例では路線バスを加工。車体前後の形が近いバスの特徴を生かし，写真6のように中央でカットしたものを作ってみましたが，いかがでしょうか。

写真7，8の作例はKATOの「電車庫」をベースに，片側の側壁をはずせる構造にして内部を見せた仕業検査庫ふうの検修庫です。突端部分の妻壁の外側に鏡を設置してあり，極端に顔を近づけて覗き込んだりしない限り，長編成がまるまる入線できるような長い建物のような印象。鏡

7

8

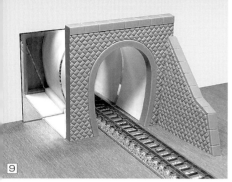

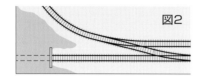

図2

面が車輌の連結部分に位置することになるので，ここに生じている隙間の存在がほとんどわからなくなることも好都合です。

この作例では入線車輌が見えやすいように，3ヵ所に立つ太い柱や手前側の点検台の取付は省略していますが，目立つ柱の台座部分の撤去まで考える人がいるかも知れません。また，突端にセットした鏡をはずせるようにしておけば，レイアウトの外側から庫内のシーンを眺めることができることにもなります。

ここからご覧に入れるのはいずれも検討段階のものですが，取り込みかた次第で充分に効果が期待できる設置例もありそうです。最初に掲げた**写真9**はトンネルの内部に設置し

た鏡で，市販のトンネルポータルを使って極く短いもの試作。**図2**のように将来の延長に備えて，または分岐駅のように見せるために線路を延ばしておくことがあり，このような小さなものでも，線路や内壁の長さにいくらか余裕が出てきました。

いちばん奥に取付ける鏡は山の中に隠れてしまうので，サイズをあまり気にしないで済むことになり，内壁の途中に生じている隙間も，内部が暗くなるとあまり目立たなくなるはず。もちろん前述の検修庫と同様に鏡を着脱可能にしておけば，トンネルの内部のほうから駅の様子を眺めることもできるわけです。

写真10は建物を並べて効果をチェックしている市街地の様子で，こちらは鏡を道路に対して45°傾けた形に設置しています。このために鏡

に映り込んでいるのは建物が並ぶほうの道路となり，覗き込んでも自分の姿が見えないのがこの取付かたのメリット。このシーンはレイアウトの右奥への展開を考えており，背景板がロッウレリーフ状のビルのすぐ後方に位置しているのに，ずっと先のほうまで道路が続いた深い奥行が出現することになります。

鏡は最終的にもう少し背が低いものの使用を予定しており，左右の端がビルの角部分に当るように接合。上側は商店街のアーケード看板でカムフラージュしようと考えていますが，幅がもっと広い道路の場合は歩道橋にする手もありそうです。

写真11も建物を並べて市街地の仕上がり状態を想像しているところで，やはり100円ショップで購入した鏡を使っていますが，ここでは少し大きめのものを使用。自動車が走る道路の中央から向こう側が鏡の中の世界ということになります。店先の様子がわかる商店は手前の建物が映った状態で，看板の文字はすべて**写真**

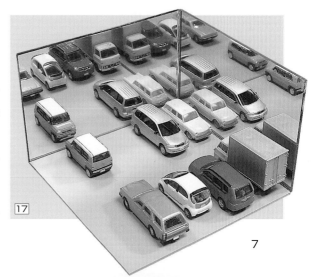

12のように反転しておいたもの。このような文字を含むステッカーはさすがに市販品には見つからないので，パソコンを使ってウラ焼き状態に製作／プリントしてみました。看板の文字が読めることで，ここが鏡の中の世界であることに気づきにくくなっているのではないでしょうか。

写真13は左が市販のV19Cコンテナで，右側はそのJRFロゴや各種の標記文字類がすべて反転状態になったものです。こんなコンテナが活躍するのは**写真14**に掲げたコンテナターミナルの荷役場で，フォークリフトが並んだところから向こう側が鏡の中の世界。前述した商店の看板と同様に，コンテナの側面の文字が読めることで手前側との連続感が生まれることになります。

この反転状態の側面の作りかたは簡単です。真横から撮影した市販品の写真を，寸法を調整した上でウラ焼き状態にプリント。これを切り取って片面に貼るだけの作業です。もちろん，いくつものコンテナを積ん

でおいて写真撮影をすれば，寸法の調整も1回で済むことになります。

写真15の作例は貨物側線の横あたり，あるいは専用線の終端駅構内などを配置場所にしたくなる石油製品の貯蔵所。市販キットを組立てたタンクのすぐ後方に鏡を立てて2棟が並んだ様子にしています。この作例で見ていただきたいのは鏡に映ったタンクに印された標記。この標記文字は言うまでもなく手前のタンクの背面側に貼ってあり，最初から**写真16**のようにウラ焼き状態にしておいたもので，タンクの手前側のものと反転状態のものを同時に製作／プリントして前後に貼りました。

このようにほとんど見えない手前のストラクチャーの背面より，鏡に映った姿を優先す

るほうが有利な場合も少なくありません。前述の作例のように商店の看板類を反転状態にしておくことはすぐに思いつきますが，さらに建物の鏡側の壁面だけを別の色に塗っておくと，隣り合う2棟のイメージもいくらか変化。このあたりはアイディアを駆使するほど効果的と言っても間違いがなさそうです。

最後にご覧に入れた**写真17**は2枚の鏡を直角に当てて，2方向への拡がりを検討している様子です。周囲をどのようにまとめるか，鏡の端をどのように処理すれば自然に見えるかには工夫が必要ですが，ご覧のように狭いスペースに広い駐車場などを展開できるのが魅力。同じ建物が何棟も並ぶ集合住宅などへの応用もできるのではないでしょうか。

張り出し屋根を持つホーム

　都市圏の駅で見かけることが多いのが，線路側に屋根が大きく張り出したホームです。言うまでもなく雨天の際の乗降に備えたもので，屋根を高く持ち上げることで車輌と接触しないようにした構造。一部がこの屋根になっているような例も少なくありません。この張り出した屋根，ほとんどは向かい合うホームのものと結んだ形鋼のビームが屋根の骨組となり，そのビームから吊り下げる形に架線を装架。乗降に支障する線路側の柱が不要であることもこの構造のメリットになっています。

　Nゲージの製品には今のところこのタイプのホームが見当たらないので，ここでは工作法のテストも兼ねて市販品をベースに改造。KATOの「対向式ホームA」と「同B」を使って，**写真1**のような対向式ホームを作ってみました。以下，この作例に沿った形で工作内容についてまとめてみることにしました。

　最初に示した**写真2**は「対向式ホームA」にユニトラックをセットした様子です。屋根とパンタグラフの位置関係はご覧のとおりで，屋根を前に出しても何とかなりそうですが，車輌によってけっこう差があるのがパンタグラフの上昇高さ。また，柱がなくなると屋根の線路側は下がりぎみとなるので，最初からある程度の高さにしておくほうが無難です。

　けっきょく製品を無駄なく使うこ

①

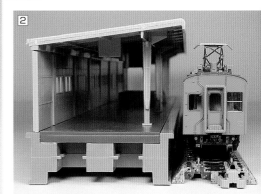

②

とや作りやすさを考えて決めた工作の基本は，①ホームの幅を詰めてその分だけ屋根と背後の壁面を線路側に移動する…，②壁面の高さを少しカサ上げして屋根の傾斜を少し強めにする…の2点です。①については島式ホームと違って幅寸法の制限がないために可能となり，微妙な矛盾点が生じる②についても，わずかに傾きをかえる程度では目立たないと判断しました。まず，ホームと屋根を結んだ壁面や柱を写真3のように

抜き取り，ホームは裏側8ヵ所のツメをこじって写真4のようにベースとホーム面に分解します。

　先に加工するのはホームのほうで，一体成形されたホームのベースは図1のように切り込んで，写真5に示した3ブロックに分割。この切断には金属工作用の糸ノコが使いやすく，切り口がいくらか乱れていてもここ

は完成後に見えなくなってしまいます。次はホーム面の切断で，こちらはカッターナイフで徐々に切り込ん

図1

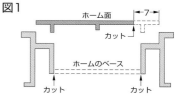

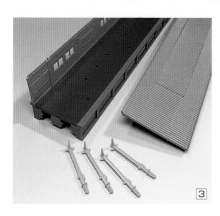

③

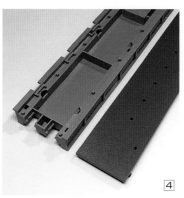

④

⑤

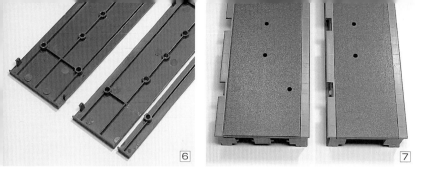

⑥
⑦

でいく作業が簡単。比較的柔らかなプラ材料が使われているので、スケールが動かないようにしっかり押さえておけば、それほど乱れた切断面にはならないはずです。

ホーム面の切断位置は端から7mmのところで、元の柱の取付孔があるほうを切り離します。屋根の突き出し具合を考えると7mmぐらいがちょうど良く、柱の取付孔をなくしながら、「対向式ホームB」に付く階段通路を避けようとすると、自動的にこの程度の寸法になってくるもの。この状態を**写真6**に示しました。

続いてホーム面の両側に、側壁状になっているホームのベースを取付けますが、この時に大切なのはホーム面の切断側を壁面側に、すなわち製品の時とは逆に向けた組合わせ

すること。これでホーム面の切断部が奥側になって目立たなくなり、ベンチ類の取付孔や階段通路が壁面側に寄ることになります。

ホーム面の裏側に出たリブのうち、ホームのベースに当たる一部を削ったら、いよいよ両者を接合。製品には接着剤が効きにくいプラ材料が使われているように思えたので、作例では先にサンドペーパーをかけて接合個所を粗面にしておき、エポキシ系接着剤を使ってしっかり止めておきました。以上の工作で**写真7**の右のような完成状態になります。

次は壁面の工作で、前述のように上部をカサ上げ。製品の壁面と屋根は**図2**の左のような組立になっているので、右のようにこの間にプラ板などを挟めば屋根先端の高さがかわ

ってくることになります。作例ではプラ板の代わりに3mmプラ角棒を挟んでおり、これは取付やすさと強度の向上を狙ったもの。ホーム側の柱となる2mmプラ角棒を先に付け、これに押し付けながら3mmプラ角棒を取付けました。この工作途中とホームに取付けた様子が**写真8、9**です。

また、屋根の傾斜を強めにすることで屋根先端の高さもかわりますが、この場合は屋根裏に下がる駅名標などの看板が傾いてしまうのが難点。作例ではそれが目立ちにくいと思われた12°〜13°程度の傾斜にしてみましたが、壁面のほうをもっと高くする工作にしても良いでしょう。

以上が済んだら屋根を壁面に接着。**写真10**のような治具で屋根の先端を支えておき、接着剤を流して完全固着を待ちます。こうしてでき上がった対向式ホームにユニトラックをセットした様子を**写真11**に、パンタグラフ付の車輌を入線させた様子を**写真12**に示しました。

さて、完成したホームと実例写真を見比べていると、やはり向かい合うホームを結ぶ形鋼のビームが欲しくなってきます。断面がI形やH形のプラ材を使えばそれらしいものができそうですが、このビームでホームを先に結んでしまうと極めて扱いづらくなるのは明らか。また、実物では多数派と言えるへの字形のものは作りにくく、強度面の不安も残ります。そこでホームをレイアウトに設置した後にビームを取付けることを計画。ビームが真っ直ぐで、屋根

屋根
壁面
プラ板
など

図2

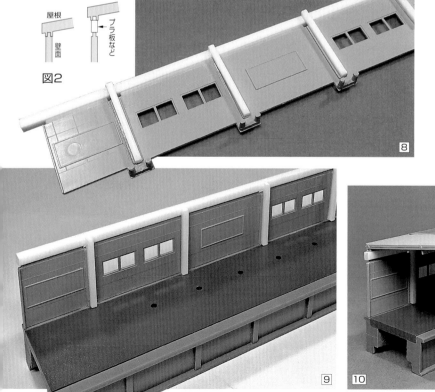

⑧
⑨
⑩

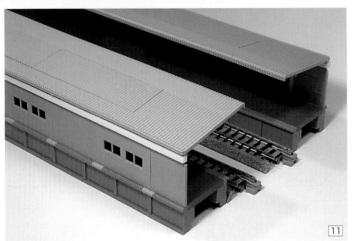

11

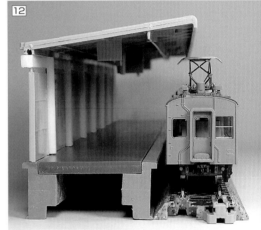

12

の裏側に少し延びるだけのものなら
工作がしやすく，取付もそれほど難
かしくはないように思えます。

　作例のものは**写真13，14**のように
2mmプラ角棒と2mmH形材をハシゴ状
に組立ててあり，**図3**のようにプラ

角棒のほうが屋根の端部内側へと入
り込む構造。仮にホームと組合わせ
てみた様子を**写真15，16**に示しまし
た。なお，このビームを取付ける場
合には当然ながら屋根をさらに高く
しておくことが必要。ここでは説明
を省きますが，前述した壁面の高さ
や屋根の傾斜を決める際に検討して
おくことが必要になります。

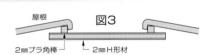

屋根　　　　　　　　図3
2mmプラ角棒　　　　2mmH形材

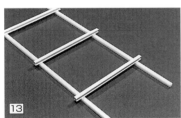

13

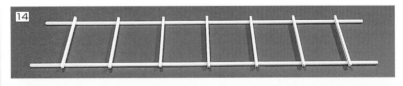

14

15

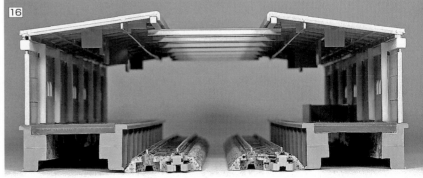

16

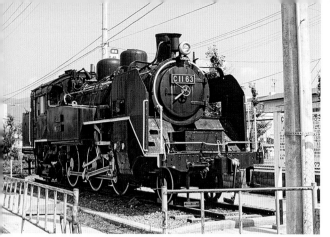

静態保存された蒸気機関車の展示場

　ローカル路線の駅前広場のあたり，あるいは市街地の公園などに作ってみたくなるのが，静態保存されている蒸気機関車の展示場。普段は列車の先頭に立てている機関車を，たまにここで休息させてみてはどうでしょうか。機関車1輌分程度の線路も，レイアウトの建設で余ったものがきっと手元にあるはずです。

　ここにはいくつかの実例を掲げてみましたが，やはり面白いと思われるのは上屋がある展示場と言えそうです。この上屋には島式ホームのものを転用できそうですが，自作も難かしくないと言える簡単なもの。ここではこの上屋の工作を中心に，ジオラマ状にまとめた作例の展示場について紹介しておきます。

　この上屋の長さは言うまでもなく

入線させる機関車の全長＋αとなり，コンパクトな展示場にしたかった作例では，KATOやトミックスのC11に合わせた長さ90㎜程度のものを製作。屋根を鉄骨製の柱が支える構造の上屋を模型化しましたが，8本の柱が傾かないようにすることが工作のポイントになります。そこで作例では図1のように屋根下側部分と基礎部分に1㎜厚程度のプラ板を使い，そこにあけた孔に真鍮角線の柱を差し込んで枠状に組立。これなら強度面の不安もありません。

　この真鍮角線を鉄骨製の柱らしく見せるためには図2のように外側にプラ製のH形材を付け加えると良く，これで印象もけっこう向上。8本の

H形材の長さを同じにしておけば，屋根の高さも揃うことになります。この工作方法は簡単な点からもお勧めで，ホームの上屋の自作にもそのまま応用できることになります。

　屋根下側部分と基礎部分のプラ板は，写真1のようにテープで仮止め

しておいて同時に孔あけ。今までのNゲージファインマニュアルでも何回か紹介されているように，φ1孔

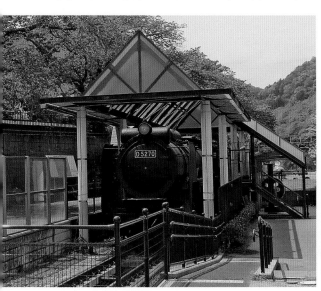

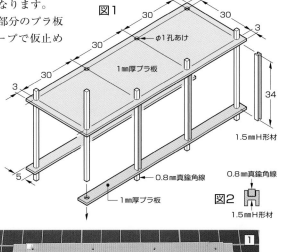

図1

3　3
30　　30
φ1孔あけ
30　　　　30
1㎜厚プラ板
3　　　　　3
3
34
1.5㎜H形材
5
0.8㎜真鍮角線
1㎜厚プラ板

図2

0.8㎜真鍮角線
1.5㎜H形材

1

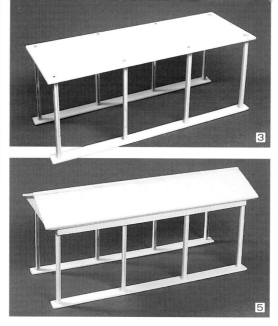

には0.8mmの真鍮角線がちょうど良い硬さで挿入されることになります。

作例では1.5mmのH形材を34mmの長さに，真鍮角線のほうは少し余裕を持たせた40mm程度の長さにカットしておいて，**写真2**のように組立。屋根下側部分と基礎部分のプラ板に8本の真鍮角線を差し込み，ヤットコなどを使って向きを整えたら，添えておいたH形材に向かってプラ板を上下方向から押し当てるようにします。ただ，この段階にはどうしても歪みや柱の傾きがあるはずで，特にねじれはしっかり修整しておくことが必要。ここまで済んだら要所に接着剤を流して固定し，上下に突き出た真鍮角線を**写真3**のようにニッパーでカットします。

次は屋根の工作で，最初に三角形の妻壁や内側の補強板を**写真4**のように立てておきこの上にプラ板をへの字形に折った屋根を取付。この表面には波板を貼っても良さそうですが，作例では先にPカッ

ターを使って適当なピッチでスジ彫りをして，このような上屋にありそうなトタン平板張りのものにしてみました。ここまでの工作が済んだ段階が**写真5**。メタルプライマーに続いて全体に好みの色を吹付け，最後に屋根上の色を筆塗りします。

キャブ内を見学するために設置されている階段は，展示機関車らしさを強調してくれるものと言えそうです。これには手元のストラクチャーキットの余剰パーツなどを加工すると良く，作例ではそれらしい形態と言える**写真6**のようなものを製作。

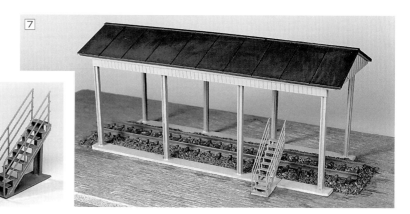

⑧

高さはもちろんキャブの扉下端に合わせることになります。

でき上がった上屋は敷設した線路を覆うようにここでベースに設置。階段の取付は機関車を仮に入線させておいて行なうと間違いなく，1mm程度手前にセットすれば，機関車の出し入れもしやすくなってきます。写真7に示したようにバラストを撒いた後は，通常のシーナリィ工作が残るだけで，ここでその内容まで触れることは不要でしょう。

このジオラマは後からレイアウト本体に組込むものなので，細かい工作についてはこの先に行なうことにしましたが，どこかの駅から移設されてきた…という想定の腕木式信号機だけはこの段階に設置。展示機関車についての説明看板，プランターなどにもほかのストラクチャーの余剰パーツを使っています。

さて，作例の展示場は前述のようにC11に合わせた大きさとしていますが，もちろんほかの機関車を入線させたい人もいるはず。大きさが異なる機関車の入線に備えて，最初から線路を長めにしておくことを考え

ても良さそうです。写真8は9600あたりまで入線できる展示場を検討しているところで，先に作った見学用のデッキをセットしてみた様子。これも手元にあった余剰パーツや素材を使ってそれらしくまとめてみたものです。このように長手方向に延びるデッキ状のものだと，機関車によ

ってけっこう異なるキャブの位置にも対応させやすくなります。

最後に掲げたのは静態保存機の展示場とはだいぶ雰囲気がかわる蒸気機関車の展示例。これは大きな鉄道工場の構内で見かけたもので，ご覧のとおりボイラー，煙室やシリンダーまわり，テンダーなどが大きく切開されて，内部のメカニズムが姿を見せています。この機関車は検修作業員の教習用に使われていたもの。実物は既にモニュメント的な存在なのでしょうが，ファンなら何となく気になるはずで，手元にある調子が悪い機関車をこんな姿に…と考える人がいるかも知れません。

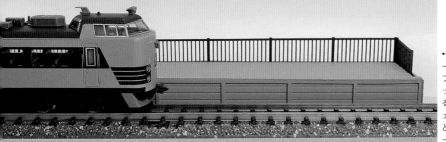

←平角材をベースにしたホームの作例。ホームの側壁は，左が「1：100・ガラス張りフェンス」をスジ目入プラ板に，下がブロック積み模様のプラ板に重ねて製作している。背後の柵はそれぞれ「1：100・縦目フェンス」と「1：100・ます目フェンス」で，どちらも背を低く見せるために，下側がホームに沈み込むような取付にしている。↓

建築模型用素材の各種活用

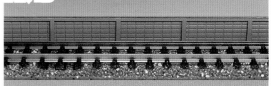

余剰パーツを利用して作った3階建てビル。こちらも屋上のフェンスに「1：200・縦目フェンス」を使ったほか，倉庫に見立てた3階部分の外壁に「1：200・横目フェンス」の換気口を，1階の駐車場入口に「1：100・縦目フェンス」を加工したシャッターゲートを付けている。↓

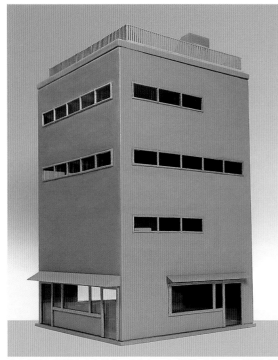

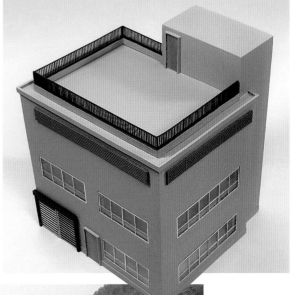

↑市街地に設置すると似合いそうなこの4階建てビルは，透明プラケースに「ガラス張りフェンス」の窓枠を貼って製作。1階の大きな窓には1：100のものを，2階〜4階の窓には1：200のものを使っており，屋上のフェンスには「1：200・縦目フェンス」を使用している。

←「1：200・ガラス張りフェンス」を使って作った長さが50mmのガーダー橋梁。小型レイアウトの小さな川を渡るものを想定しており，短いスパンと桁の高さのバランスもちょうど良いように思われる。プラ板の外側に素材を貼るのが基本工作なので，橋台と併せても製作にそれほどの時間はかからないはずである。

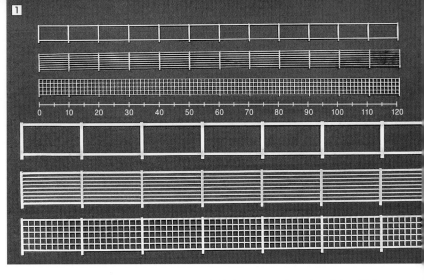

ストラクチャーを自作する時に使用する素材としては，プラ製のスジ目板や下見板，瓦，階段やハシゴ，その手スリ類，さらに透明塩ビ板にプリントされた窓枠などが知られていますが，近年はペーパーをレーザーカットした製品も見かけるようになりました。ここではそのペーパー製素材を使ったいくつかの工作例を紹介してみたいと思います。

作例で使用しているのはいずれもJEMAから発売されている素材で，**写真1**に「フェンス」と称する製品いくつかを掲げておきます。これは主に建築模型に使うもののようですが，「縦目」，「横目」，「ます目」，「ガラス張り」など，さまざまなパターンのものが用意されており，それを生かすことでNゲージのストラクチャーにも都合良く使えそう。繊細にレーザーカットされているのはご覧のとおりで，カッターナイフを使った切り出しでは手間がかかり過ぎる…と諦めていたストラクチャーの製作が可能になる場合もありそうです。

建築模型用のためと思われますが，このフェンス素材は同じパターンで縮尺が異なるものも製品化されており，写真の上側は1：200，下側は1：100とされるもの。とりあえず実測してみると，1：200のものが0.4mm厚で長さが121mm程度（2本セットで発売），1：100のものが0.5mm厚で長さが241mm程度でしたが，もちろん切り詰めたり，2つをつなげるような使いかたもでき，このあたりはいろいろと工夫

してみたいところです。

さて，この素材がペーパー製ということで，強度のことが気になる人もいるのではないでしょうか。レイアウトに設置した後には基本的に手で触れることがないので，痛めないように扱いたいのは工作時と言えるのですが，ほかのパーツと接着されるとけっこう丈夫になってくるもの。取付けてからカット…といった作業をなるべく避ければ，その後になって歪んだりすることもありません。

また，この素材を使ったストラクチャーの工作の際に，接着剤に何を使うかも迷うところです。ただ，相手がスチロール系のプラ板やプラ棒などの場合は，流し込みタイプのプラ用接着剤を使うことがお勧め。ファンス素材との間に接着剤を流すとプラ材のほう

図1

フェンス

プラ角棒

フェンス

0.5mm厚プラ板
0.3mm厚プラ板

ブロック積み板など　図2

が溶けてベタつき，その時点に押さえ付けることで実用的な接着力が得られます。もちろん，流し込みタイプの接着剤を仮止め用に使い，最終的に要所を微量の瞬間接着剤で止めることを考えても良いでしょう。

フェンス関連の工作

この素材を使う時に難しいと思われるのは，フェンスなどのように単体で立てる場合です。長手方向を真っ直ぐに整えるのには手間がかかり，これはペーパー製素材の弱点とも言えるところ。ホームの背後の柵やビルの屋上の柵などではこの歪みが目立ちやすいので，**図1**に示したように根元にプラ角棒などを取付けておくほうが無難です。

図2には下側に3枚のプラ板を重ね，この間にフェンス素材（1：100・ます目）を差し込むことで取付やすくした工作例を示しました。間に挟む0.5mm厚プラ板によって全体の高さも決まるので，これなら素材の下側を切り詰める作業を省略できる場合もありそうです。実例を見かけることも多いブロック積みにしようと，外側には市販のプラ素材を使っており，作例では全体を薄く見せるために裏側に0.3mm厚プラ板を使いましたが，表側と同じブロック積みにしても構いません。**写真2，3**は工作途中と完成状態の様子で，作例ではブロック積み部分とフェンスを別途に塗装してから組合わせてあります。

これらのフェンスはレイアウト上のさまざまな場所に登場機会があり，

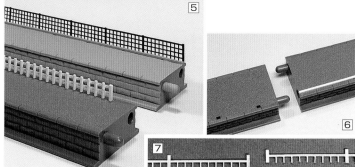

ほかの工作で余ったものが都合良く使える場合もあります。**写真4**も同じフェンス素材（1：100・ます目）とブロック積みプラ素材の組合わせで，余っていた長さ30mmほどのフェンスを2つにカット。門扉としてブロック積みの塀に取付けてみました。

このフェンス素材はもちろん市販ストラクチャーへの追加工作などに使用することもあります。**写真5**はトミックスの「対向式ホーム」で，手前は製品付属の柵を取付けた様子ですが，奥のように背後の柵をフェンス素材（1：100・ます目）にかえてみると，都市近郊の路線を思わせるイメージの駅になりました。**写真6**の右は1mmプラ角棒を貼って元の柵の取付孔を埋めた状態で，この角棒にフェンス素材を接着させることで取付強度も向上。ここに取付けたフェンス素材（1：100・ます目）は，**写真7**

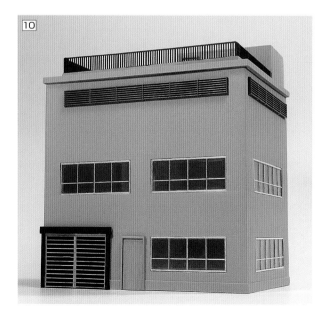

の右のように1段分を切り詰めて背の高さを抑えておきました。

写真8はシャッターゲートの工作例で，フェンス素材（1：100・縦目）を横方向に2つつなぎ，プラ角棒のガイドレールやシャッターケースを付けたもの。左は下半分が通常のシャッターになったタイプで，ここにはプラ製の波板を使用しています。**写真9**はその設置例で，駐車中の自動車が透けて見えるのが嬉しいところ。右のシャッターゲートは次に紹介する3階建てのビルに組込みましたが，こちらは黒く塗った壁面の前に取付ける工作に留めています。

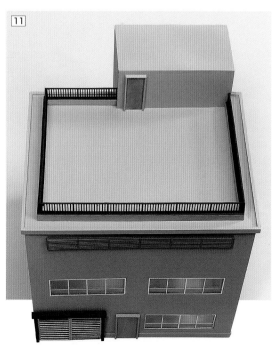

ビルの工作2種

写真10，11の3階建てのビルのほうは，余剰となっていた窓ガラスパーツの有効利用を目的に製作したものです。ただ，パーツの数にそれほどの余裕がなかったので，3階部分を倉庫フロアーに見立てて窓を省略。これで外観に変化が出たようにも思えます。建物本体はプラ板で作った壁面や屋上面を組立てる工作によっており，その内容については特に述

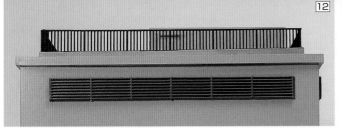

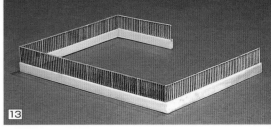

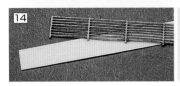

べるようなこともありません。

このビルには前述したようにシャッターゲートを取付けていますが、そのほかにフェンス素材（1：200・縦目）とフェンス素材（1：200・横目）の2種を使用。この取付状態が**写真12**で、縦目のほうは屋上のフェンスに使っていますが、少し背が低い感じだったので、**写真13**のようにプラ板を重ねた座を加えて高さを2mmほどカサ上げしてみました。一方、横目のほうは3階部分の外壁に並ぶ換気口に使用。工作途中にはどうしても縦方向に挟む持ちかたもしてしまうので、先に**写真14、15**のように裏側に薄いプラ板を貼って、桟部分が曲がらないようにしておきます。

写真16、17の4階建てのビルのほうは、別項「プラケースや木片が芯材の建物」でも使用している透明プラケースをベースにしていますが、こちらは窓をフェンス素材で表現したのが特徴。ガラス張りフェンスと称する素材は四角い枠がいくつも並んだものなので、1階の大きな窓と扉にはフェンス素材（1：100・ガラス張り）を、2階〜4階の窓には同（1：200・ガラス張り）を使用することにしました。

窓となるこのフェンス素材は長い状態に塗装しておき、これを必要な大きさにカットしてから透明プラケースへと接着。作例では一般的なアルミサッシの窓として、缶スプレーのフラットアルミ

を吹付けており、**写真18**にカットが済んだ取付前の状態を示しました。

窓の取付には流し込みタイプの接着剤を使います。窓を所定の場所にセットしておき、当然ながら外側の横方向から接着剤を流し込むのですが、きれいな仕上がりを得るためにはサッシ面まで流れないようにすることが特に大切。接着剤が届かない離れたところを軽く押さえておいて微量の接着剤を流し、プラケースのほうが少し溶けてきた段階に窓を押して密着させます。続いて反対側を押さえておき…という工作になりますが、このあたりは実際の作業でコツを掴んでいただくしかなく、先に不要な材料を使ったテストをしておきたいのは言うまでもありません。この窓

の取付が済んだ様子が**写真19**です。

建物外壁の塗装は筆塗りとするのが無難で、作例では艶消のエナメル系塗料を使用。窓の周囲を先に塗ってから塗装範囲を拡げていきますが、サッシ面に付着しないようにていねいな作業をしたいものです。

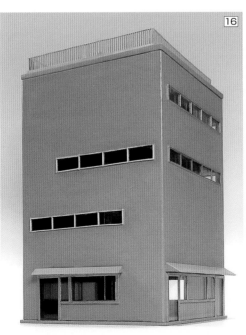

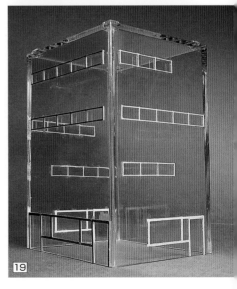

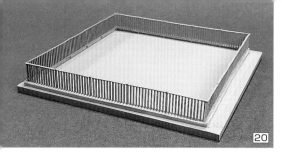
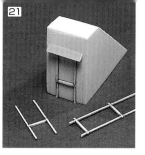
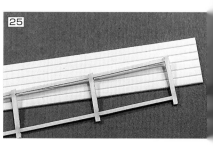

屋上まわりは3階建てのビルのほうとほとんどかわりませんが，芯材にしたプラケースの関係から**写真20**のように壁面側と別個に製作。こちらは屋上面に先にプラ角棒を付け，それにフェンス素材（1：200・縦目）を接着していくような工作方法を採ってみました。また，プラ板を材料に**写真21**のような屋上への出口も作ってあり，この扉にもフェンス素材を使ってみました。作例ではこれからの工作なのですが，屋上への空調関係機器や給水槽の取付も考えており，実例も多い屋上の広告看板の製作には，余っているフェンス素材が都合良く使えそうです。

小さなガーダー橋梁

市販のガーダー橋梁を切り詰めて小さな川に架けたレイアウトを見かけますが，桁の高さがそのままではあまりに丈夫そうで不自然な印象。

実物を観察するまでもなく，短いガーダー橋梁の場合は桁の高さもスパンとバランスがとれたものにしたくなってきます。そのようなタイプを自作する際に便利に使えるのが，ビルの製作にも使っているフェンス素材（1：200・ガラス張り）。桟のピッチがちょうど10㎜なので，桁の長さを40㎜とか50㎜というように細かく決めることができます。

図3に示したようにシンプルな構成で，製作も簡単です。素材の上下の出っ張りを先に切り落として1㎜厚プラ板と重ね，上下に0.3㎜厚プラ板の帯を重ねるだけ。**写真22**が材料と片側の桁ができ上がった状態，そして左右の桁を1㎜厚プラ板の梁で結んだ完成状態が**写真23，24**です。ご覧のようにこの梁は桁のリブと位置を揃えてみましたが，実際に線路を載せると見えなくなってしまうもの。左右の桁がねじれた形で固着しないように，平らな板の上で組立てることを大切にしてください。

量産向きのホームの工作

前述したようにフェンス素材（1：100・ガラス張り）と同（1：200・ガラス張り）は四角い枠が連続するシンプルな形態なのですが，同じ太さの柱が等ピッチで並んでいるので，ストラクチャーの素材として有用なもの。パーツを眺めているとさまざまなアイディアが浮かんできますが，ここでは1：100のほうを支柱に使うコンクリートパネル張りのホームの工作例を紹介してみたいと思います。芯材に木の角材を使うことで長さは自由に決められ，工作も簡単なので何面かのホームを一度に作る際にも役立つのではないでしょうか。

側壁の構成を示したのが**写真25**で，すぐにおわかりいただけるようにプラ製のスジ目板の表面にフェンス素材を接着して，支柱と支柱の間にコンクリートパネルが差し込まれている様子を表現します。また，全体の構成を**図4**に示しておきましたが，実際にはスジ目板とフェンス素材を先に接着。フェンス素材は上側の出っ張り個所を切り落としてから，スジ目板のほうは平角材への接着強度を増すために，裏側に粗目のサンドペーパーをかけてから接合することになります。

平角材は当然ながら作りたいホームの幅や高さに合う寸法のものを選ぶことになります。もちろん反りが少ない材料を使いたいところで，その面では最初から合板を使うことを考えても良さそう。長いホームの場合は経年で全体が大きく反ったりねじれたりしないように，最初から何分割かし

図3

0.3㎜厚プラ板
2
5
カット
1㎜厚プラ板
フェンス（1：200・ガラス張り）

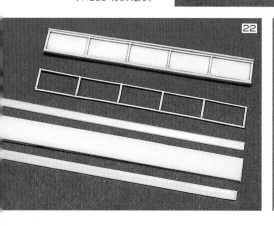

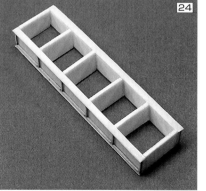

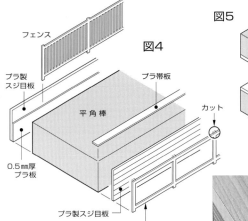

図4

図5

フェンス

プラ製
スジ目板

プラ帯板

平角棒

カット

0.5mm厚
プラ板

プラ製スジ目板

フェンス(1:100・ガラス張り)

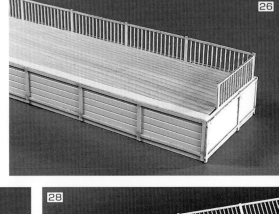

26

27

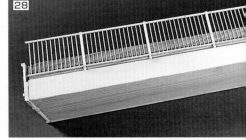

28

29

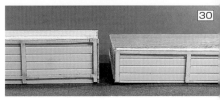

30

ておくほうが無難かも知れません。都合の良い寸法の材料が見つからなくても，図5に示した例のように，材料の使いかたや組合わせで幅や高さを調整できる場合もあります。

　平角材に側壁を取付ける際にはエポキシ系接着剤を使う人が多いと思われます。また，この接合と同時に，ホーム面の線路側には帯状にカットしたプラ板を貼って縁石を表現。Pカッターなどでスジ彫りをした帯材を使えば，見映えがより向上することは言うまでもありません。

　残るのは背面側の柵の取付で，作例ではフェンス素材(1:100・縦目)を使用。ホーム面から6mm程度落とし込む形に平角材の側面に付け，線路側と同様の側壁で根元部分を隠しました。この柵はもちろん対向式ホームだけに必要なもので，島式ホームの場合は平角材の両側に側壁を貼り付けることになります。

　写真26，27に示したのは平角材に側壁や柵を取付けて組立が済んだ状態。写真28には背面の工作途中を示しました。このほか，工作内容は途中部分とまったくかわらないホーム端部の様子も掲げておきます。

写真29はホーム部分とフェンスを別途に塗装してから組合わせた完成状態で，ご覧のようにプラ製の市販品にも負けない仕上がりになったのではないでしょうか。

　以上のようにここではできるだけ量産向きの工作として，ホーム本体には平角材を使用してみました。これでだいぶ作りやすくなったはずですが，完成後のホーム面には平角材が露出。製材面が粗い材料の場合は，サーフェイサーを使った仕上げを行なってもなかなかきれいにはならないものです。最初から薄いプラ板を貼るつもりでいたほうが結果的に工

作が楽になるかも知れません。

　さて，この作例では市販品などを参考に，ホームの平角材に12mmの材料を使用しており，これは側壁に使ったフェンス素材の高さ方向の寸法とほとんど同じ。下側には実物にはないリブ状の出っ張りがありますが，これはバラストを盛ることで充分に隠せそうです。写真30の右は高さが9mmというホームの作例で，こちらは組立後に下側に突き出した支柱を切り詰めておきました。

　さらに工作途中と塗装完成状態を示した写真31，32のホームでは，側壁のスジ目板に代えてブロック積み模様のプラ素材を使用。背面の柵にフェンス素材(1:100・ます目)を使っていることもあり，全体の印象がいくらか変化しています。

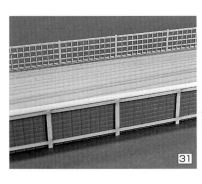

31

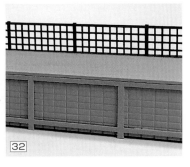

32

21

木造建物の簡単な印象向上

●作例A・屋根が日本瓦葺きの詰所

ベースにしたKATO
の構内建物セットの線路班詰所

●作例B・経年変化を強調した詰所

●作例C・壁面を全面板張りにした詰所

ベースにしたKATO
の構内建物セットの工作室

●作例D・屋根をトタン板張りにした待合室

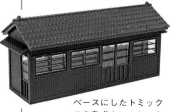

ベースにしたトミック
スの島式ホームセット
（ローカル型）の待合室

22

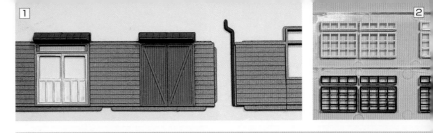

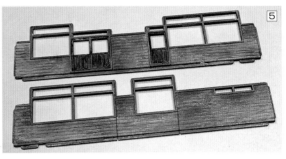

市販のキットや完成品をベースにしたストラクチャーの工作はさまざま。もちろんハードな改造を行なうこともありますが，ここには逆に簡単な作業で印象がかわった工作例を集めてみました。作例でベースに使用しているのはKATOの「構内建物セット」の詰所類やトミックスの「島式ホームセット（ローカル型）」の待合室で，これらはバランスの良いディテールを備えた製品。落ち着いた色合いの艶消し塗装をするだけでも印象がかなりかわってきます。

キット形態となった「構内建物セット」の塗装は組立前に行なうことがお勧めで，吹付塗装に続く側壁や妻壁への色入れなどは平板状のほうが作業がしやすいことになります。**写真1**はこの様子で，面相筆を使って事務室や倉庫の扉，ヒサシを塗装。妻壁の両端に付いている縦樋にも色入れをしてあり，印象が向上したことがわかると思います（作例A）。

また，同様にこの段階に窓ガラスの桟を塗装することもあり，**写真2**の下が元の白色にエナメル系塗料の薄茶色を重ねた様子。面相筆を寝かせて窓桟の表面だけに着色するので慎重な作業が続きますが，窓ガラス面まではみ出した塗料は乾燥後に爪楊枝の先でこすって取り除くことができます。**写真3**はこの窓ガラスをはめ込んだ壁面で，扉と窓桟の色が揃って自然な感じになったのではないでしょうか（作例B，C）。このほか，

壁面が平板状の時に済ませておきたいのは，**写真4**のように板張りの継ぎ目を表現すること。これはカッターナイフを使って縦方向にスジ彫りするだけの作業です（作例A，B）。

写真5は築後の経年を強調しようと，傷みや汚れを塗装だけで表現した壁面で，このような建物が集まるレイアウトの建設を考える人もいるのではないでしょうか。これは下塗りとして同系色をスプレー塗装した後，エナメル系塗料の白，黒，薄茶色，さらにフラットベースを加えたものを筆塗り。紙の上に取った塗料

を筆で粗く混ぜながらニュアンスがつくように塗っていくので，ドライブラシ仕上げのようなウェザリングの一種なのかも知れません。

屋根は全体をいったん濃いグレイに塗った後，それよりいくらか明るめに調色したグレイを，ランダムに選んだいくつかの瓦に筆塗り。白壁部分と共にパステル粉によるウェザリングを施してから壁面と組合わせてみました（作例B）。

トタン板張りから瓦葺き屋根へ，あるいはその逆など，製品の屋根の変更で建物の印象をかえることを考えても良いでしょう。「構内建物セット」の4棟のうち，3棟の詰所は**写真6**右奥のようなセメント瓦葺きとなっていますが，市販素材を使って日本瓦葺きにするのはそれほど難しくない工作です。**写真7**のようにセメント瓦よりいくらか重厚な感じになるので，大きめの詰所に向く工作かも知れません（作例A）。

図1は作例の構成と使用材料を示したもので，瓦の素材にはさかつうギャラリーの「プラノイタ・屋根瓦」を使用。これは実測0.7mm程度の厚さだったので，下側に0.5mm厚のプラ板を重ね，プラ板の両端に破風板

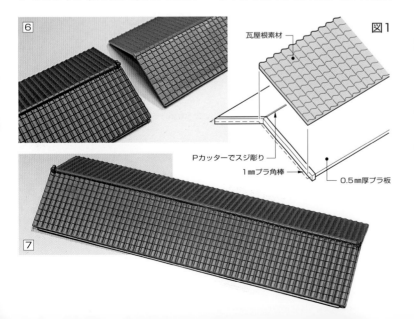

図1

瓦屋根素材

Pカッターでスジ彫り

1mmプラ角棒

0.5mm厚プラ板

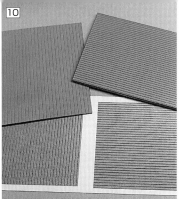

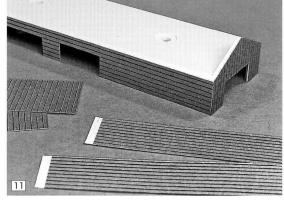

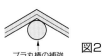

図2
プラ丸棒の補強

となる1mmプラ角棒を取付けます。

元の屋根と同じ寸法にするのは言うまでもなく瓦のほうで，プラ板はそれより4mm程度短くしておき，破風板から瓦が少し突き出すように組立てます。実際にはプラ板の中央をPカッターで彫り込んでへの字形に曲げる工作が先になると思われ，それを実測して瓦の長さを決めることになるかも知れません。

組立が済んだ屋根の裏側には経年の歪みを防ぐために補強棒を入れますが，この時には**写真8**や**図2**のようにプラ丸棒を使うことがお勧め。角棒より取付けやすく，接着剤も流れやすいものです。この新製した屋根はネジを使う組立ができないので白壁部分に接着。基礎部分と壁面，壁面と白壁の接合部分に隙間が生じるようなら，押さえておいて微量の接着剤を流すことも必要です。

次は「島式ホームセット（ローカル型）」の待合室で，一体成形となっている建物部分は塗装だけを行ない，瓦葺きとなった屋根を波形トタン板張りへと変更。**写真9**のように瓦のモールドを粗目のサンドペーパーでザッと削り，への字形に曲げた波形プラ板を重ね貼りするだけの工作です。この波形プラ板はもちろん中央をPカッターで彫り込んで曲げてあり，頂部の折れ目には1/4円プラ棒を**図3**のようにはめて接着。これはこのようなところにも都合良く使える素材に思えます（作例D）。

「構内建物セット」の3棟の詰所は壁面上部が白壁造りとなっていますが，簡単にローカル路線レイアウトに似合いそうな全面板張りの建物に仕立ててみました。本来なら下見板やスジ目板のプラ素材から切り出した壁面の組立となりますが，ここではそれをプリントした紙を貼って簡易に表現。白壁部分に貼り重ねても板張り部分とほぼ同一面になるので，組立は元のキットとかわりません。

写真10は壁面と同色に塗装した下見板やスジ目板と，それをデジカメで正面から撮影し，パソコンに取り込んで寸法調整して出力したプリント。**写真11**は両面粘着テープを使って白壁部分に貼った様子で，大きめのものを貼っておき，壁面が入り込むところを後から切り取っているのは言うまでもありません。

このように工作自体

は簡単なのですが，難かしく思えたのは意外にもデジカメによる撮影のほう。下見板は継ぎ目の影を強調する目的で太陽光の下で撮っていますが，実際に貼ってみると壁面側に出る実際の影に対してコントラストが強過ぎました。設置時に自然に見えるようにするには，レイアウトルームの明るさも頭に入れながら，異なる条件下で撮影した写真の中から選ぶのが良いのでしょう（作例C）。

最後に紹介しておきたいのは「構内建物セット」のベース板についてです。製品は**写真12**のように建物の基礎部分よりかなり大きくて背も高く，そのままではシーナリィ付レイアウトに設置しにくい場合もあるよう。できれば**写真13**のように基礎部分から外側を切り落としておくのが良く，それによって背も低くなるので，周辺の地形との高さ関係も自然な感じになってくるはずです。

この切断は簡単で，基礎部分の外側に沿ってカッターナイフで切り込んでいくだけ。スケールを当てる必要もありません。サンドペーパー上を往復させて切断面を仕上げたら，切り取ってしまった扉の前の昇り段を復活。1.5mm厚程度のプラ板から元の大きさと同程度に切り出したものを接着します（作例A，B，C）。

図3
1/4円プラ丸棒

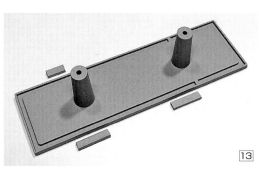

レイアウトの各種アイディア工作

交換できる鉄橋

　川はもちろん，道路や線路をオーバークロスする鉄橋の種類はさまざま。それによって走り抜ける列車のイメージがかわってくることは改めて述べるまでもないでしょう。我々のNゲージでも製品が充実してきただけに，レイアウトの上にもさまざまな鉄橋が欲しくなります。とは言え，小型レイアウトに多くの鉄橋を持ち込むことはできないので，鉄橋部分を着脱式構造にしておき，気分によって交換することができないだろうか…と考えてみました。

　製品の下路式鉄橋や上路式鉄橋，ガーダー鉄橋などを眺め，これなら工作や設置があまり難かしくなく，列車の走行状態に影響することもなさそう…と思われたのが図1のような構造です。ご覧のように橋梁本体を支える橋台を上下に分けて作り，（下）はレイアウト側に固定。それに載る（上）は差し込むだけにして，そ

こに橋梁本体をセットします。
　橋台（上）のほうはこの橋梁専用のものになるので，橋梁本体と接着一体化したほうが扱いやすいことになりますが，組立強度の面では不安もあり，あまり無理をしないほうが良いようにも思えます。

　以上のように橋梁がセットされたら，その前後の線路と伸縮線路で結びます。最初から細かく寸法調整をしておけば端数線路を挟むこともできますが，伸縮線路を使えば作業がしやすく，レール間に隙間が生じないのもメリット。橋梁のほうに伸縮線路をつないでからセットすれば，接続個所が橋梁から離れるので，接続も楽に行なうことができます。

　別のタイプの橋梁に交換する時も取付方法自体にかわりはありません。図2に示した橋台外側の距離Lと橋台（上）の高さHさえ揃っていれば，橋梁の種類に関係なく設置でき，実際には固定されていない橋台（上）も，線路をつなぐと動いてしまうようなことはほとんどありません。

　この橋台（上）はプラ板を箱状に組立てたり，木片を組合わせて作ることになりますが，最後にプラ板を貼り加える，

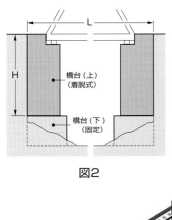

図5

図2

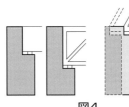

図3

図4

図3のような構成にすることもお勧め。厚さの異なるプラ板を組合わせることで，ほぼ希望する寸法に近づけることができます。※印で示したプラ片は高さ方向の寸法調整用に取付けたものですが，支承のような形態に作ることができればもちろん見映えの面でも向上。図4の左に描いたのは別のタイプの橋梁と組合わせる橋台（上）の形態で，これについては特に説明も不要でしょう。

　以上の橋梁の交換は，前述した橋台両端の距離Lと橋台（上）の高さHが揃っていることで可能になるもの。異なるメーカーの製品を混用する際にも，橋梁の全長が近い場合には図の右のように橋台（上）の形態を変更することで寸法差を吸収します。

　最後の図5でご覧に入れておいたのは，下路式トラス橋と共にレイアウトに設置例が多い，上路式トラス橋やガーダー橋と橋台の組合わせ。ガーダー橋は短い2連をつなげたものにしたので途中に橋脚が加わることになり，この根元部分をどのように処理するかなど，いろ

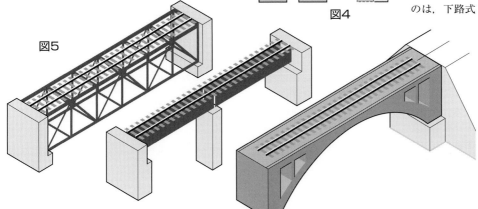

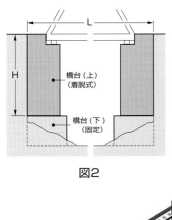

（図1の説明ラベル）
橋台（下）
橋台（上）
伸縮線路
図1

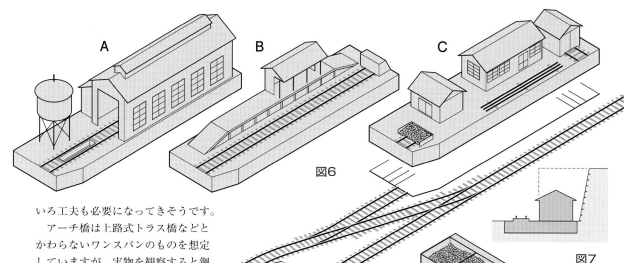

A B C

図6

図7

図8

いろ工夫も必要になってきそうです。

アーチ橋は上路式トラス橋などとかわらないワンスパンのものを想定していますが，実物を観察すると鋼製橋梁の場合と違って，橋梁本体と橋台が一体化したような構造がほとんど。模型でも同様の構造に作ることになり，橋台（下）まで一体に見える感じにまとめたくなります。

交換できる駅の横の風景

レイアウトの建設時に，既に作ってあったジオラマ状の鉄道風景を組込むことがあります。それから思いついたのは，このような小さな風景いくつかを同形態同寸法のベース上に作り，レイアウト本体への着脱を可能な構造にしておくこと。別のものに交換することで異なる風景が展開することになり，その中まで線路が入り込んでいる場合には，もちろん運転の楽しさも拡がることになります。図6はその一例を示したもので，小型レイアウトにも取り入れやすい鉄道施設をメインに配置。ダミーとなりがちな駅の安全側線のポイントを生かし，線路を少し先まで延ばすことを考えてみました。

この交換部分の大きさは配置するストラクチャーや入線車輛によって決まってくるはずですが，ベースを同一形態にするので今後の製作予定まで含めた，平均的とも言えるサイズになりそう。レイアウト建設の当初にとりあえず1台を…という場合にも，ベースだけは予定分まで作っておくほうが良さそうです。

図に描いたAはこの駅で折り返す列車を牽引する蒸気機関車が一時休憩する駐泊所，Bは到着した貨物列車から切り離された貨車を留置する

小さな貨物駅。同じローカル路線の駅でも，どちらを組込むかで運転の内容にいくらか差が出るような気もします。Cではすぐ先に車止めを付けて本来の安全側線の姿にしてあり，その先のスペースを利用して駅の用品庫，線路班詰所や作業場を配してみました。

このほか，交換部分の背後が図7のような立体的な地形となっている場合には，高低差を生かせるようなストラクチャーも作ってみたいものです。点線で示したようにベース面より外側に張り出すように作ることもあり，図8に描いた鉱石やバラストの積込場なら後方を擁壁の上へと延ばすことによって風景が連続。造成地工事中の風景として擁壁上部の高台に置いたトラックが，鉱石やバラストをここまで運んできたトラックのように見えてきます。

位置を変更できる車止め

100円ショップなどで極小マグネットを見かけることがあり，HOゲージ車輛のカプラーへの応用など，模型ファンならではのアイディアも散見されますが，Nゲージの場合はストラクチャーやアクセサリー類の設置用に便利なもの。図9に描いたのはこのマグネットを利用して，道床付線路の途中に車止めを設置するというアイディアです。

市販の道床付線路には車止めを持

つ終端用もありますが，長さ調整の関係でその線路が使いにくい時があり，また，曲線部分に設置したいような場合もあるはず。このほか，延長計画があって線路を端まで延ばしてあるレイアウトなら，車輛の落下防止のために車止めが必要で，このような場所にも着脱自由なこの設置方法が応用できることになります。

車止め自体の工作方法については特に述べることもありませんが，マグネットはその下面にしっかりと接着しておくことが必要です。線路側には鉄片を接着しておくこともありますが，もっと簡単なのは鉄製の木ネジを使うこと。これは言うまでもなくちょうど良い吸着力となる高さまでネジ込んでおけば良いのです。

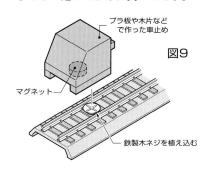

プラ板や木片などで作った車止め

図9

マグネット

鉄製木ネジを植え込む

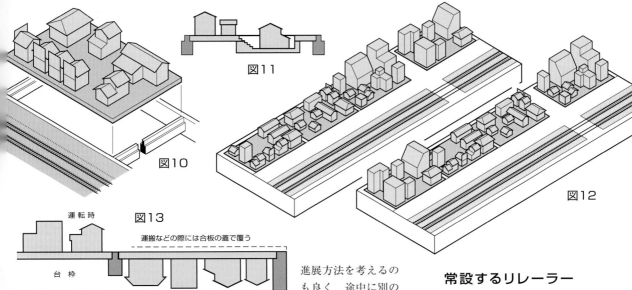

図11

図10

図12

図13

運転時

運搬などの際には合板の蓋で覆う

台枠

上下を逆にして収納

テスト製作したものは直径がφ6，厚さが3mm程度のマグネットを使っていますが，これはサイズから想像できないほど強力なもので，車輌に押されて車止めが動いてしまうようなこともありませんでした。

分割して作る市街地

近代風景をテーマにしたレイアウトなら，駅前にたくさんの店舗や住宅を集め，市街地ならではの活気を楽しんでみたいものです。仮に並べてみるなど，建物の配置も効果を検討して決めたいところですが，手持ちのストラクチャーがわずかな段階にレイアウト建設をスタートさせる場合もありそう。ここに小さな商店を何軒か並べ，ここには背の高いビルを…と，ある程度のイメージはできているはずですが，先まで細かく計画を立ててしまうと工作途中の変更がしにくく，その後に入手した製品の設置場所で迷ってしまう場合もあるように思えます。

そこで配置の自由度を高める方法のひとつとして紹介したいのは，何軒かの建物を規格寸法のブロック上にまとめること。平坦な地形ならではの利点で，このブロックを着脱式にしておけば，設置場所や設置方向をかえることもできそうです。予備のブロックを用意しておいて，とりあえず一部は駐車場や公園，空き地のようなものにしておく…といった

進展方法を考えるのも良く，途中に別の展開を思いつく場合もあるのではないでしょうか。もちろん，最初の製作だけでなく，後の部分的な改造や追加工作，さらに照明装置のメンテナンスといった作業が机の上でできることも嬉しいところと言えるでしょう。

図10はノーマルなものと思われる台枠で，凸形の骨組にブロックを落とし込むような構造。ブロックの内側に収まるなら図11のような窪んだ地形にも対応できることになります。図12は集合式レイアウトのモジュールを想定したもので，線路と道路に沿ってたくさんの建物が並ぶ市街地のシーン。同形態，同寸法に作った4つのブロックを並びかえた2パターンを掲げてみました。

なお，このような構造にしておくと，図13に描いたようにブロックごと上下を逆にして落とし込むようなことも可能。建物の高さを台枠内に収まる寸法にすることが条件ですが，このように組込むと運搬や移動の際に建物を痛めることを避けられます。これも集合式レイアウトのモジュールに向いた収納方法と言えるもので，上側を合板などで覆っておけば運搬もしやすいことになります。

常設するリレーラー

レイアウトに車輌を入線させる際に使用するのがリレーラー。実物にはない模型運転用具とも呼べるものなので，線路上にセットしたままではおかしいのですが，通常時に見えないところなら常設しておいても…と，図14のようなトンネル内への取付を考えてみました。

トンネル内と言ってももちろん列車が進入してくるところではなく，設置を想定しているのはレイアウトのいちばん端まで延ばしたダミーの線路部分。ここを本線から分岐した支線のトンネルのようにまとめることで不自然さもなくなり，内部のリレーラーの存在もわからないことになります。車輌を線路へと流すのはもちろん山の中からですが，1本の編成に仕立てるのはトンネルの外に出てきたところ。リレーラーをセッ

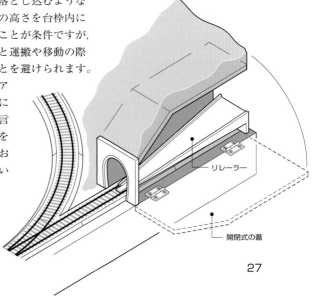

リレーラー

開閉式の蓋

図14

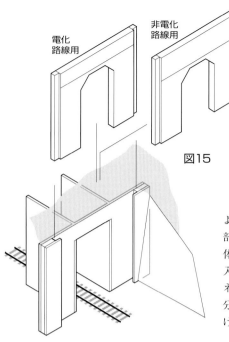

電化路線用

非電化路線用

図15

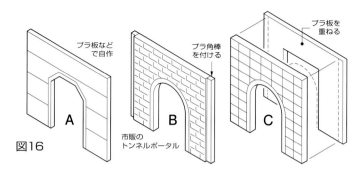

A

プラ板などで自作

B

市販のトンネルポータル

プラ角棒を付ける

C

プラ板を重ねる

図16

トする場所だけは省略することも多い架線柱も，トンネル外ならあまりじゃまにならないかも知れません。

車輌を流す作業をしやすくするためには，トンネル内にある程度の空間が欲しく，作業側から内部を見えやすくしておくこともちろん大切です。このように実用本位の設置なのですが，運転ポジションからリレーラーが見えることが気になる人もいるはず。図に描いたように開閉ができる蓋を取付けて，リレーラーを使用する際にだけ開くようにすれば，トンネルの内部が明るく見えてしまうこともなくなります。

差しかえ式トンネルポータル

よほどのミニサイズのものでもない限り，レイアウトの定番シーンとなっているのが，トンネルに吸い込まれる，あるいはそこから飛び出してくる列車の姿。入口のトンネルポータルはその列車に似合うタイプを設置したくなるものです。ここで紹介することにしたのは，このトンネルポータルを差し込み式にして，交換できるようにしたトンネルの入口。コンクリート製とか石積みといった構造についてはもちろん，入口のクリアランスが異なるものを交換することで，電化路線と非電化路線のどちらにも見せることもできます。

構造は極めてシンプルで，図15のようにトンネル入口の両端にガイド部分を設けておき，ここに上から別体のトンネルポータルをスライド挿入させるというもの。交換用のトンネルポータルの両端をこのガイド部分に合わせた寸法や形態に作っておけば良いことになります。

トンネル内の壁面や入口の高さはもちろん電化路線用に高くしておきますが，通常の視点からは天井部分の様子はほとんどわからないので，非電化路線用を取付けた時に不自然さは感じられないと思われます。

図16に示したのはトンネルポータルの工作プランの一例で，Aはプラ板を使って自作したものを想定。ガイド部分に合った厚みの材料があれば工作はそれほど難かしくはありません。BとCは市販のトンネルポータルを使用するもの。前者は両端にプラ角棒を付けて，後者はプラ板と重ねてガイド部分に対応するようにしています。実際には製品によって幅方向や高さ寸法に差があり，切り詰めたりする加工になるのは避けられませんが，レイアウト上のすべての形態を揃えるような場合を除いて，現物合わせ的な自由度の高い工作で済むのではないでしょうか。

信号機や架線柱の損傷防止

レイアウトの端のほうに位置するアクセサリー類，特にいちばん手前の台枠ギリギリのところに立っている信号機や架線柱にうっかりと手を触れてしまったことはないでしょうか。信号機や架線柱自体へのダメージは，しっかりと固定されたものよりそのままはずれてしまうもののほうが少ないので，この取付にもマグネットを利用することができます。もちろん集合式レイアウトのモジュールをこのような構造にしておき，損傷しやすいものは運搬の際にはずしておくのも良さそうです。

信号機のほうはベース板の上に立つ製品を想定したもので，図17のようにベース板の裏側と地表側にゴム製のマグネットシートを貼って取付。2枚のシートが吸着する重ねかたにしておいて，ベース板の形に沿って周囲をカットしたものそれぞれに貼り付けます。マグネットシートの吸

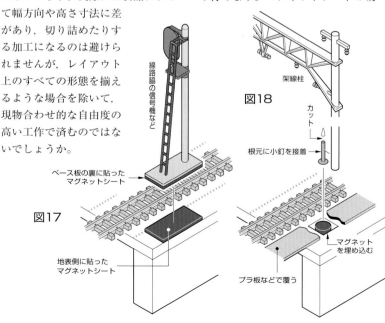

線路脇の信号機など

ベース板の裏に貼ったマグネットシート

地表側に貼ったマグネットシート

図17

架線柱

図18

カット

根元に小釘を接着

マグネットを埋め込む

プラ板などで覆う

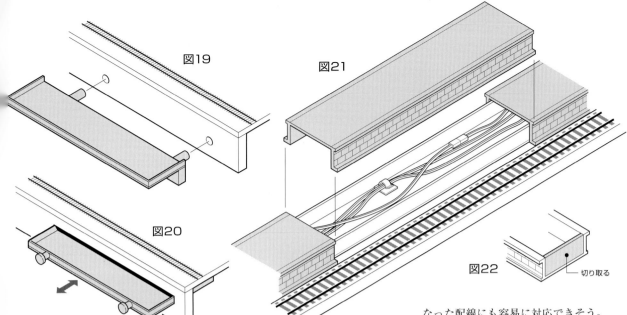

図19

図21

図20

図22 ←切り取る

着力はそれほど強いとは言えませんが，実用面の問題はありません。

一方，架線柱のほうはベース板のようなものを付けにくいので，前述した車止めのほうでも使用している円形の極小マグネットを使用。このマグネットを図18のように地表側に埋め込んでおけば，根元に鉄製の小釘を取付けた架線柱が真っ直ぐに立つことになります。

この小釘はもちろん頭が大径で細いものが向いているのですが，細い架線柱の支柱に下側から孔をあけるようなこともできないので，図に描いたように線路側の根元内側に接着。支柱と同色に塗装することで目立ちにくくなるように思えます。マグネットのほうは地表から掘り込んだ穴の中に取付けておきますが，上側を薄いプラ板などで覆っても吸着力にはほとんど影響がありません。

複線用の架線柱は片側の支柱をマグネットで支えるだけで充分なのですが，回転してしまわないように反対側の支柱の根元を少し凹んだ地形にしておくと良いでしょう。

台枠に付ける小物置き場

列車の組成途中なのでしょうか，運転会などで車輌をレイアウト上に置いたりしている様子を見かけますが，これではシーナリィを痛めたり，車輌にスポンジ粒などが付着するこ

ともありそう。小さいものでもレイアウトの手前に作業台を設けておけば，車輌の仮置き場になるのはもちろん，リレーラー，レールクリーニング液，ドライバーなどの小工具を用意しておく場所にもなります。

図19には運転会の際にあるファンから見せてもらった，台枠に横から差し込む構造のものを描いておきましたが，もちろん下側に蝶番を持つ折りたたみ式にしておけば，運転会への持参を忘れることもありません。図20は本格的な引き出し状に作った作業台で，台枠の準備段階から構造を考えることになりますが，これなら使いやすく，見映えの良いものと言うことができそうです。

ホーム下空間の有効利用

市販のプラ製ホームは断面がコの字形をしたものがほとんど。次々とつないでいくことで，運転する列車に適した長さにする方式となっています。このためにホームの下には連続した長い空間ができるのですが，ここを何かに利用できるのでは？と考えたことはないでしょうか。

図21でご覧に入れたのは，ここをコードの通り道にするというアイディアです。ホームの近くにあるフィーダーやポイントマシン，照明装置などへの通電コードをここに収めておくと，後の追加工事などで必要に

なった配線にも容易に対応できそう。ホームを着脱式にしておけば点検もしやすく，レイアウトの手前に近いホームなら，体を少し伸ばすことで作業ができることになります。

コードを通すには妻部分の壁面を図22のように切り取ることになり，ニッパーやカッターナイフを使う作業になりますが，連結状態には見えないところなので，それほどきれいに仕上げる必要もないでしょう。これによって付属の連結用ジョイントが使えなくなりますが，逆にホームがつながっていないことで，必要な部分のみの抜き取りができるメリットが生まれることになります。

ホームを抜き取ったところに描いてあるのは，コードが線路側にはみ出すことを防ぐケースで，同時にホームの位置合わせの壁も兼ねるもの。コードの長さに余裕を持たせておけば，ここから少し引き出した状態で作業もできることになります。

このケースはプラ板をコの字形に組合わせて作ることになり，ホーム内側を実測してきつくない程度にはまり込むように製作。何分割かして作ったものを並べて取付けていきます。これは適当に隙間を設けた配置にしても問題ありませんが，ホームの接続部分に当るものは隣り合うホームが横ズレしないようにそこを跨ぐ形に設置しておきます。

さて，このケース内を通すことが多いのはホーム上の照明装置のもの

29

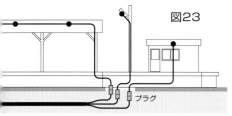

図23

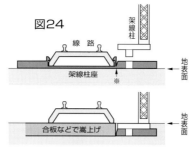

図24

かも知れません。**図23**は途中の開口部からレイアウトの下側へと出した例で，主要なコードにはプラグを介して接続。これならコードの交換なども簡単に行なうことができます。

このほか，このケース内に細いドライバーやピンセット，小筆などを入れておき，簡単なメンテナンスに使用することもできそう。集合式レイアウトなら隣のモジュールへと渡す伸縮線路の収納場所にもちょうど良いように思えます。

地中に隠す架線柱座

市販の架線柱もいつの間にか種類が増えており，近年では表現も繊細でスケール感を満足させるものになっています。この架線柱を立てるために用意されている架線柱の座は，言うまでもなくファイントラック，またはユニトラックに対応するようになっているのですが，フロアー運転での設置が前提なのか，どうしても目立ち過ぎる印象。シーナリィ付のレイアウトなら，これをうまく隠すことも考えたいものです。

いちばん簡単なのは地中に隠してしまう方法でしょう。**図24**の上に示したのはトミックスの架線柱の例で，

通常は上のような取付をしていますが，下のように地表面を高くすれば架線柱が地中から立っているように見えることになります。座は先に※印のところでカットしておく必要がありますが，スリットがあるのでこれは極めて簡単。線路のほうは下側に合板などを挟み，地表面が高くなった分だけ持ち上げておきます。なお，この嵩上げによって相対的には線路に対して架線柱が低くなるので，先にチェックしておくことが必要。ただ，市販の架線柱は安全面から高さ方向に対して余裕を持たせているようで，線路を3mm程度持ち上げただけでは問題もなさそうです。

KATOの架線柱の座は円筒形部分だけが高いのであまり目立たないのですが，「複線ワイドラーメン架線柱」など，角形断面を持つ支柱の根元に見えると不自然な印象。できれば前述のものと同様の工作で隠しておくことをお勧めします。

小型レイアウトの発展形態

小型のものと言えども，家庭内にシーナリィ付レイアウトの設置スペースを得るのはそう簡単ではありません。そのために分割構造にする場合も多いのですが，ここではとりあ

えず単行運転，あるいは2輌編成程度が走るサイズでスタートし，それから線路を延ばすことでもう少し長い編成を入線させる…といった展開を考えてみたいと思います。

一例として掲げた**図25**の本体は，直線区間に小駅を設けたエンドレスひとまわりの路線ですが，横に細長いブロックを用意してあり，矢印のように回転させて本体のほうにつなぐことができる構造。ブロックの長さは本体と同寸法なのですが，終端駅なのでホームの設置に余裕があり，ここには3〜4輌編成が停車できそうです。一方，ブロックをたたんだ時には本体のホームが終端駅の一部のように見え，いくらか規模の大きな駅の印象。本線に出ていくことはできませんが，ブロック内に列車を入線させておいて，支線との接続駅の様子を楽しむのも良いでしょう。

図26のほうはさらに小さなレイアウトを想定していますが，駅の近くに車輌基地を，反対側には鉱石の積込みホッパーを設けたプランです。ご覧のように検修庫とホッパーは入口部分だけをロッゲリーフ状に作ってあり，内部に延びる線路は運転する時にだけ接続。ただ，その長さは自由に決められるので，本線に対して長めと思われる編成を入線させることもできます。最初のうちはエンドレス内の駅と絡めて電車を中心に，途中からは入換をしながら鉱石列車を…といった，小型レイアウトとは思えない変化に富んだ運転を楽しんでみてはどうでしょうか。

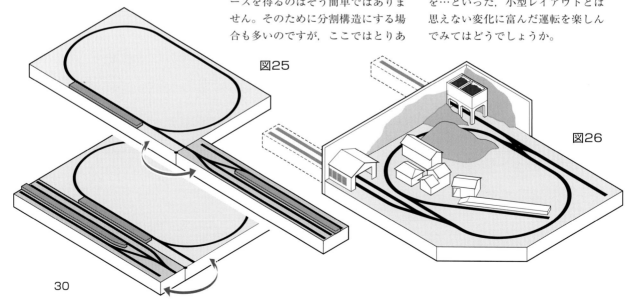

図25

図26

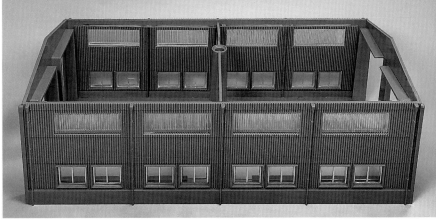

検修庫内の手軽な印象向上

　屋根をはずせるようにしておき，内部の様子を楽しんでみたい各種の鉄道施設。中でも機関車庫や電車庫といった検修庫はその対象になることも多く，製品がベースの場合は屋根の取付構造がシンプルなほど，工作が楽になってきます。庫内工作のテーマはさまざまですが，細かい工作を行なう前に手をかけておきたいのはやはり壁面や床面といったところ。ここではトミックスの「複線機関庫」を例に，簡単な準備工作についてまとめることにしました。

　この製品は屋根が中央のネジ1本で建物本体に止められており，それをはずした分解状態が**写真1**。窓ガラスは内側からはめ込んだ取付ですが，庫内の工作後には壁面へと接着しても良く，こうしておくと載せてある屋根を持ち上げるだけですぐに庫内を覗き込むことができます。

庫内壁面の表現

　窓ガラスは上部採光用を含む6個の窓が浮き出た透明プラパーツで，内壁側をライトグレイに塗ることもありますが，できれば波形スレート板張りらしく見せたいもの。ただ，波形のプラ素材を所定寸法に切り出して貼る作業には手間がかかり，側壁の厚さも相当なものになるので，元のような床面や屋根との組合わせができないことになります。

　そこで作例では製品の側壁外側をそのままスキャニングしてパソコンに取り込み，**写真2**のように現寸大にプリントしたものを側壁内側に貼る…という方法を採ってみました。真横から撮影することやプリント前の寸法調整が求められますが，もちろんデジカメで撮影してプリントしたものでも構いません。

　写真3はこのプリントを両面粘着テープで0.2～0.3mm厚程度の薄い透明プラ板に貼り，窓部分のプリントをはがした状態です。この時にはカッターナイフを使いますが，浅く切り込んで透明プラ板を残しておくのがポイント。壁面が1枚につながった状態でこの作業を終えたら，元の窓ガラス1枚ずつの大きさになるように4つに分割し，**写真4**のようにそれぞれの周囲をカットします。

　こうしてでき上がった内壁は元の窓ガラスと重ねて壁面へとセット。

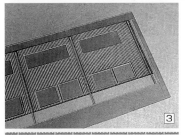

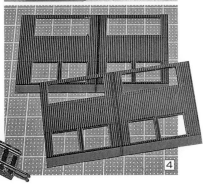

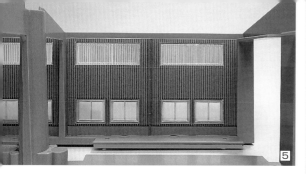

5

6

床面に立つピン状の突起がじゃまになるようだったら根元からカットしますが，それ以外には取付の支障になるものもないはずです。

こうして建物の内側へと組込まれた壁面の様子が写真5。当然ながら外壁側の縦雨樋がそのまま映り込んでいるのですが，気になるほど目立つことはないようです。短時間の工作による簡略的な表現ながら，続く細部工作の効果が期待できる庫内になったのではないでしょうか。

以上の工作に使用した側壁のプリント，内壁に使った余りを眺めていて思いついたのは，妻壁上部の三角形の部分に貼ること。ここはプリントをそのまま貼るだけで済み，下側の入口左右のものとの段差もほとんど生じません。写真6でご覧のように，検修庫の妻面としてはノーマルな構造の波形スレート張りを簡単に表現することができました。

線路による床面の表現

この「複線機関庫」にファイントラックを組合わせると，検修庫内の線路までバラストが撒かれた姿となってしまいます。通常の使いかたではもちろん見えないのですが，屋根をはずして細かい工作を…となると，このあたりも気になってくるもの。そこでコンクリートが打たれ，レール面と高さが揃った庫内らしい床面にする工作をしてみました。

使用した線路は写真7に示したトミックスの「ワイドトラムレール」の直線。2本を並べた線路間隔が「複線機関庫」と同じ37㎜であることも好都合です。「ワイドトラムレール」の直線は長さが140㎜，及び70㎜の2種があるので，作例ではそれをつない

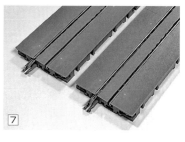

7

だ210㎜にして使用。「複線機関庫」の全長は175㎜なので，前後に17.5㎜ずつ飛び出すような組合わせにしましたが，両者の長さを揃えるために線路を切り詰める工作まで考える人がいるかも知れません。

この「ワイドトラムレール」と組合わせる工作内容はいくつか考えられますが，いちばん簡単そうに思えたのは元の床面の一部を残す方法で，写真8，9に示したのが「複線機関庫」の加工前後の様子。このように床面をカットして，そこに片側を切り詰めた「ワイドトラムレール」をはめ込むというものです。

最初は中央部の床面の除去です。屋根を止めていた柱の上部を細身のレザーソーで切り離し，妻壁中央柱のすぐ内側のところで床面をニッパーでカット。これで中央部の床板が

8

9

10

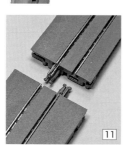

11

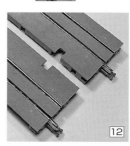

12

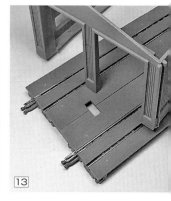

13

14

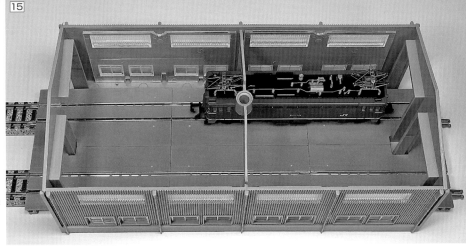

15

なくなり，そのままでは違和感がある太い柱も同時に姿を消すことになりました。続いて側壁側の床板を柱の内側の位置でカット。**写真10**のようにスケールを当てて切断位置のラインをケガき，それを目安にほんのわずか内側で切り離します。この作業にはレザーソーも使えますが，作例では何回にも分けてニッパーで切り進む作業をしており，大まかにカットした後に平ヤスリで真っ直ぐに削っています。

次は「ワイドトラムレール」の加工で，**写真11**の奥のように側壁側となるほうをカット。加工後の幅は31.5mm程度になるはずですが，一応先に

「複線機関庫」側のはめ込み個所を実測しておいたほうが良いかも知れません。続いて妻壁中央柱が入るところを**写真12, 13**のように切り欠き，**写真14**のようにぴったり収まるようになったら工作は完了です。

写真15は全体を組立てた状態で，線路間の床面は設備類や小物類を配置するのに恰好のスペースと言えるのではないでしょうか。この作例では窓ガラスパーツをそのままはめ込んでいますが，前述のようにプリントを貼ったり，内壁面に艶消ライトグレイを塗っておけば，車輌が映り込む不自然さもなくなります。

ピット付線路への交換

さて，このような検修庫の多くは車輌の点検や整備に使われる設備なので，実際には床面にピットが掘られているものがほとんど。「ワイドトラムレール」の加工も考えられますが，KATOユニトラックにはこのピットが表現された「開放ピット線路」と称する，**写真16**に示したような直線があり，これをそのまま「複

線機関庫」と組合わせてみました。

「複線機関庫」の線路間隔とユニトラックの基準には4mmの差があり，実際の設置の際にはその調整も必要になってきますが，入口クリアランスに影響する道床の高さの差はわずか1mm程度。妻壁から5.5mmずつ飛び出すことになる長さ186mmという線路も，少し手前でピット区間が終わっているのでそのあたりが不自然に見えることはありません。

工作自体はとても簡単です。「複線機関庫」の床面裏側には**写真17**の左側のように線路を挟むリブが出っ張っているので，これを右のように削り取るだけ。これで「開放ピット線路」の両脇の板状部分と「複線機関庫」の床面の間にわずかな隙間が生じることになります。この部分は最終的に見えなくなってしまうので特にきれいにカットする必要はなく，作例ではニッパーで切り取るような作業をしました。**写真18, 19**は以上が済んで組立をしている状態。中央部の開口部分を薄いプラ板で塞ぐ工作を加えることも考えられます。

16

17

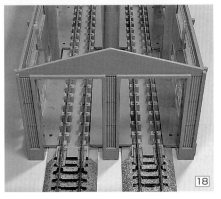

18

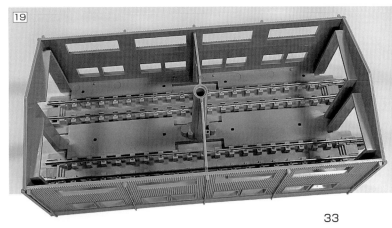

19

複線庫から作る単線検修庫

　前項で作例に使ったトミックスの「複線機関庫」はノーマルな形態ということもあって，多くのレイアウトに設置例を見かけます。ここでご覧に入れるのはこの製品を単線化改造したもので，これなら構内スペースに余裕がない小型レイアウトに持ち込めるかも知れません。

　この単線化は，2線のそれぞれ中央で妻壁を切り離して再接合する方法が簡単に思えますが，この場合はかなり幅が狭い建物になり，それに合わせると屋根も補修がしにくい個所で切継ぐことになります。そこで採ってみたのは図1のように屋根を切継ぎ，それに合わせて壁面側の幅を決めるような工作。この結果，入口部分が広くなってしまいますが，製品に付属する塞ぎ板を壁面として利用すれば，この寸法はいくらでも調整できることになります。

　屋根は3段のスレート波板が張られた姿に成形されているので，写真1のように上段から中段に，また，中段から下段に移る個所で切り離します。この時には当然ながら段差部分にカッターナイフの刃を当てることになりますが，何回にも分けて徐々に切り込んでいくことが大切。特に最初のうちは軽くスジをつける程度のイメージで，刃が横滑りしないように注意しながら作業を続けてください。なお，屋根の裏側に出た窓ガラスを押さえる突起は，屋根を浮かしてしまうので先にカット。最終段階の作業ですが，窓ガラスは接着剤で取付けることができます。

　こうして切り離しが済んだら，切断個所にサンドペーパーをかけたり，カエリなどを除去。接合する元の上段と下段を途中で何回も当てて様子を見ながら，じっくりと仕上げていくことになります。写真2は裏側に補強用のプラ板を添えながら接合した様子，写真3は完成状態です。

　ここまで済んだら屋根の裏側周囲に出ているリブの外側幅を実測。こ

図1

```
カット
不要部分
0.5 ←→    (51)    ←→ 0.5

カット
不要部分
26        26
```

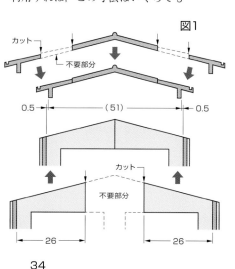

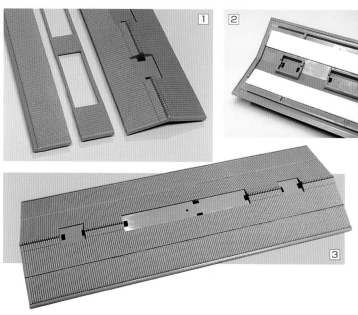

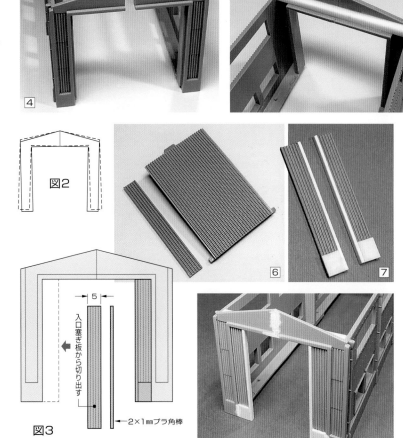

の幅＋1mm程度が壁面の内側寸法で，屋根の切継個所を大幅に削ったりしていなければ，リブの外側幅は51mm程度になっているはずです。

この結果，側壁の内側幅は前の図に示したように52mm程度になり，妻壁は左右とも26mmの位置で**写真4**のようにカットします。この時には金属工作用の糸ノコを使って余裕ある位置で切り離し，平ヤスリで削って接続面を整えながら寸法を調整。中央で左右を結ぶ壁面は外部からほとんど見えないので，ニッパーによるカットで充分でしょう。なお，この作業と同時に床板部分も除去。カット位置は使用線路によってかわりますが，作例では「ワイドトラムレール」との組合わせを考えて柱のすぐ横にしており，このあたりの工作は前項の作例とまったく同じです。

以上が済んだら左右の壁面を接着して一体化。この時には**写真5**のように入口上部の内側に3mmプラ角棒を渡しておくと良く，これで取付強度が向上することになります。また，この角棒を密着させることで組立精度も向上するのですが，油断すると**図2**に描いたように歪むこともあり，仮止め状態にしっかりチェックして完全に固着させます。なお，この角棒は両端が屋根裏側のリブに干渉。強度に影響しないリブのほうを現物合わせで欠き取っておきます。

妻壁の入口は大きく開口しているので，**図3**のように両側に壁面を追加して，元の製品と同じ29mm幅まで縮小します。これには製品に付属した塞ぎ板を使うのが良く，**写真6**のように5mm幅にカット。その線路側

には**写真7**のように入口の枠として2×1mmのプラ角棒を，下側には基礎部分として7mm幅のプラ板を貼っておきます。基礎部分のほうは0.8mm程度の厚さにするとほかのところと同じ感じになるので，作例では0.5mm厚と0.3mm厚のプラ板を貼り重ねたものから長めに切り出し，接着後に余分なところをカットしました。

左右用の2組ができたら，**写真8**のように妻壁へと接着。言うまでもなく追加した壁面が元の妻壁と同一面に揃うと見映えが良く，微量の接着

剤で仮止めしておいて眺め，OKとなったところで本格的に接着剤を流します。**写真9**は完全固着させてから基礎部分や入口上部の継ぎ目にプラパテを盛り付け，サンドペーパーをかけて仕上げた様子です。

前述のように作例では「ワイドトラムレール」と組合わせるために床板を切り拡げておきましたが，長さが140mm＋70mmの線路は前後に飛び出してしまいます。そのため，妻壁を落とし込めるように**写真10**に示した切り欠きを4ヵ所に設けました。

図2

図3

入口塞ぎ板から切り出す

5

2×1mmプラ角棒

0.8mm厚程度のプラ板

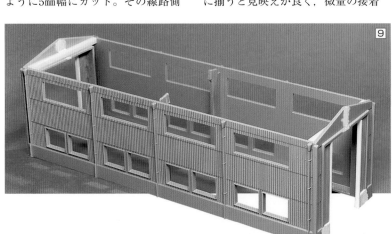

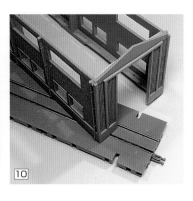

ロゥレリーフ状に仕立てたダミー車輛

　背景板に面した建物をロゥレリーフ状に作ることがあります。半立体になっていることで周辺の建物との連続感も生まれ，街並みなどに実際以上の拡がりが感じられるもの。キットの壁面を並べるだけでもそれなりの効果があり，背景板に描いたものとは印象も異なってきます。

　あまり作例を見ませんが，車輛についてもこのロゥレリーフ状の表現は効果がありそうに思えます。そこで手元にあった車輛をテスト的に加工。元の1/3弱まで幅を詰めた車体を背景板の前に置き，その手前にホームを配してみました。

　狙ったのは島式ホームの反対側で対向列車が発車を待っているシーン。手前の線路だけに列車が着発する運転であることはかわりませんが，エ

ンドレスひとまわりだけのレイアウトでも，単線駅とは異なる駅風景が展開できることになります。さらに，ダミー車輛であることを生かして扉を開口し，下車している乗客，乗り込むためにホーム上に並ぶ乗客の姿も演出してみたくなります。

　車輛は基本的に側面方向から眺めることになりますが，それでも運転室を持たない車輛では不自然でしょう。作例では簡単な加工で…と単行運転の車輛にしましたが，片運転台の車輛を中央でカットすれば，1輛を2輛編成に仕立てることができます。**写真1**は作例で起用した小田急キハ5000の車体で，長手方向にカットして再組立した様子。車輛によって異なる分解方法や使用工具など，工作内容までは触れませんが，切断

面は背景側を向くことになるのできれいに仕上げる必要もありません。

　この車体を支えるのは**写真2，3**のようにプラ板とプラ角棒を組立てただけの座です。このような簡単なもので済むのは，言うまでもなく手前のホームに隠れるからで，ホーム面とちょうど良い高さ関係になるように作り，黒く塗装してから傾かないように車体を接着します。

　以上で工作は完了。**写真4〜6**のようにさっそくライトブルーの画用紙を貼った背景板の前にセットしてみました。ホーム越しに横方向から眺めた印象はまずまずですが，背後が一面の空というのはどうしても不自然。実際の設置の際には山並みが拡がる実景写真でも掲げることになるのでしょう。ただ，この段階に，ロ

７

ゥレリーフの背後もロゥレリーフ…という世界はどんなものになるのだろうと，手元にあった検修庫のキットの壁面パーツを車輌の向こう側に挟んでみました。この様子が**写真7**で，補強用に裏側に付けたプラ角棒を加えた壁面の厚さは5mm程度。これでもロゥレリーフ状に作った効果はあり，構内に車輌基地が併設された駅が誕生することになります。

もうひとつの作例は**写真8**でご覧に入れた小さな貨物駅で，ホームと背後の倉庫の間に有蓋車が入線しているシーン。やはり扉を開いた姿にして，作業員が荷役中の様子を演出すると楽しいと思われます。

背が低いこちらのホームは貨車の下まわりまで見えるため，線路までロゥレリーフ状に表現することを計画。その効果を知りたいことも試作の目的になっています。とりあえず道床付線路を**写真9**のように中央でカット。左右に切り離した線路を1本につなぐのなら，半分の長さの直線を使えば良いことになります。

貨車のほうも車体の中央でカットすれば1輌が2輌分になり，また，中央でカットすることは線路との位置合わせの役にも立ちそう。カッティングマットなどの上に両者を寝かせた状態で接着組立すれば，裏側が同一面に揃うことになります。

写真10は作例で使用したKATOのワム70000の工作途中です。分解して車輪，カプラーやウェイトを抜き取った車体と下まわりは，金属工作用の糸ノコを使って中央でカット。車輪はプラ製の車軸から抜き取って左右に分割しましたが，製品によっては工作内容がいくらかかわってくるかも知れません。それぞれ片側の車体と下まわり，車輪は接着組立して完全に固着させておきます。

次はこうしてでき上がった貨車を線路の上に載せることになり，**写真11**のように線路と一体化。前述のように寝かせた状態でレール面と車輪踏面の間に接着剤を流しますが，それだけでは強度的にどうしても不安です。そこで**写真12**のように切断面側で車体と道床を直接結ぶようにプラ板を取付。実際には先にこのプラ板を用意しておいて，レール面と車輪踏面の接着と同時進行させるのが良く，この時に2輌の貨車の間隔も調整することになります。

この接合の際にはもちろん道床面に対して貨車が倒れないようにしますが，貨車を背景板のほうに接着してしまえばほとんど不自然さは感じられないはず。その結果，道床のほうがわずかに傾くことになるのですが，それが気になるようなことはほとんどありません。

８

11

10

9

12

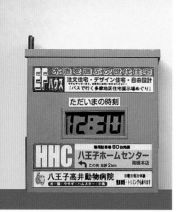

壁面に時計を組込んだ建物

駅ビルや道路に面した商業ビルの壁面に，大きな時計を見かけることがあります。レイアウトの市街地にある建物にも小さな時計を取付け，それが実際の時刻を表示すれば面白いのでは？と，100円ショップで購入してきたのが**写真1**の腕時計。液晶表示部分を実測してみると17×6.5mm程度で，ベルトをはずした時計本体は35×38mm程度，さらに厚みは9mm程度というサイズでした。

ここでご覧に入れる作例はいずれもこの時計を組込んだものですが，もちろんほかのタイプの時計を使う場合もあり，それに合わせた取付かたを考える必要があるかも知れません。ただ，時計本体に手を加えるような取付は当然ながら避けるべきで，電池交換などの際にそのまま抜き出せることも必要になります。

このために建物には差し込むだけの取付とするのが良く，液晶表示部分を外部から見えるようにしながら，それ以外の時計本体をどのように建物内部に隠すかが工作のポイントになってきます。**写真2**は表示部分をくり抜き，外側を時計本体よりほんのわずか大きく切り出したプラ板で，建物の壁面はこのプラ板より大きくすることになります。

建物に差し込んだ時計の支えかたもいろいろ考えられますが，簡単なのは小さくカットしたスポンジブロックで時計本体を壁面内側に押し付ける方法。これならそれほどの工作精度が求められないことにもなります。**図1**がこの支持方法で，時計本体にスポンジブロックを重ねて押し込むだけ。裏側のプラ板は下側を傾けて差し込みやすくしています。

この最小限の大きさで作ってみたのが**写真3**に掲げた看板塔です。1mm厚プラ板から切り出した壁面を現物合わせ的に組立てた状態が**写真4，5**で，外形寸法は幅39mm×奥行25mm×高さ39mm。この上に天井となるプラ板を貼付けるだけの工作で，時計本体は当然ながら**写真6**のように下側から差し込むことになります。

写真7はでき上がった看板塔をビルの屋上に置いた様子ですが，ビルに対して看板塔がいくらか大きめのように感じられます。最上階を別体にしておいて，最後に重ねて一体に見せる方法，あるいは最初からこの看板塔を少し落とし込むようにビルを作る方法も考えられ，これらを**図2**に示しておきました。

次に試作してみたのは**写真8**のような商店です。正面の壁面に透明プ

図1

表示部分

スポンジ

時計

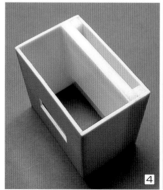

⑥

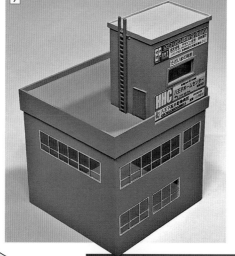

⑦

⑧

図2

⑨

⑩

ラ板を使えば表示部分をくり抜かなくても済むのでは？と考えたもので，この工作途中が**写真9**。時計本体は**写真10**のように1階部分まで少し下げた取付位置としてあり，こちらには目立たないように黒い時計を使って，最終的に店内も黒く塗装しておきました。こちらも時計本体は下側から差し込むことになります。

もうひとつの作例は市街地に似合うタワーパーキングビルで，この建物だけは設置場所を考えてロゥレリーフ状に製作。時計本体を浮かせて下側を空けておけば，入出庫する自動車を置くことができそう…と考えました。**写真11, 12**はプラ板，余剰パーツやブロック積みプラ素材などを使って製作している様子で，裏側の開口部が時計本体を差し込むところ。**写真13**が完成状態で，時計を見上げるドライバーなどの姿も演出してみたくなります。

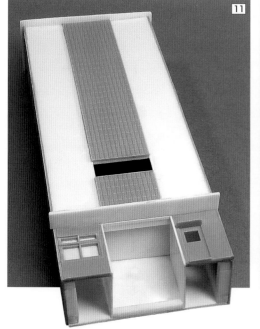

⑪

⑫

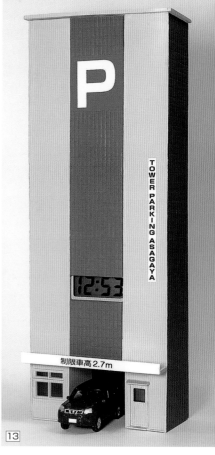

⑬

1

2

高架線路のイメージアップ

　コンクリート脚の上を続く高架線路はやはり高速運転路線のイメージ。レイアウトでも新幹線電車専用に，地平線路とは別ルートの高架線路を設けた例をけっこう見かけるものです。そんな高架線路にはKATOのユニトラックやトミックスのファイントラックといった，道床付線路のシステムを利用する場合がほとんどで，メーカーでは側壁が付いた線路，それに対応する橋脚類もいろいろと製品化。フレキシブル線路を敷設するレイアウトの場合も，数多く必要な橋脚にはできるだけ既製品を利用するほうが得策に思えます。

　この高架線路，単線用の製品も発売されていますが，レイアウト上で圧倒的に多いと思われるのは複線として敷設された例。その橋脚にはもちろんコンクリート脚のものが似合うことになります。**写真1**に掲げたのはトミックス（左）とKATO（右）の「複線高架橋脚」で，共に上面に線路を止めるツメを持つ箱状の形態。

3本の柱が2列に並ぶものがワンブロックで，この橋脚で線路の接続個所を支える構造になっています。

　この状態が**図1**のAですが，高架線路らしく見せるためには脚の数をもっと増やすことになり，Bに描いたのが中間に別のブロックを挟んだ様子。線路の長さによってはCのように脚2本分や1本分にカットしたもののほうがバランスが良い場合もあり，このあたりは現物合わせ的に対応することになります。

　実物の橋脚はもちろん脚が等ピッチに立つことが基本と思われ，田園風景の中に続くような高架線路では同一パターンが連続することになります。一方，市街地で見かけることがあるのは，脚の間隔を少し拡げて駐車場の出入口などにした例。ここにはほかのものより強度が高そうな橋脚が使われていたりします。また，高架線路の場合でも幅が広い河川や道路などを渡るところには橋梁が架けられることになり，Dに描いておいたのがこの設置状態。極端に長い橋梁でない限り，桁はガッチリとしたコンクリート製のものが使われており，橋台部分も頑強な構造になっていますが，通常の高架区間といちばん印象が異なるのはここで橋脚が途切れていることではないでしょうか。

橋脚の工作

　このようにレイアウトに合わせて使いかたを工夫したい複線用の橋脚ですが，ここで紹介させていただくのは全体の幅を詰めたり，脚の見映えを良くするといったベーシックな工作です。作例ではKATOの製品を加工のベースに使用していますが，構成が似ているだけに，基本的な工作内容はトミックスの製品にも応用できるように思えます。

　幅を詰める工作は橋脚を内側に寄せることが目的で，この工作を行なうことで路盤部分が外側にかなり張り出した様子も表現できることになります。ただ，この橋脚と組合わせるためには，路盤のほうも幅を少し狭めることが必要。作例ではフレキシブル線路の敷設を前提に，後述する路盤を新製しており，KATOの現行の「複線高架直線線路」との組合わせではあまりバランスが良い高架線路になってくれません。

A

B

C

D

図1

図2

1mm厚プラ板

19.5

プラ角棒

3

　工作内容は**写真2**に示したとおりで，上面2ヵ所を切り離して再接合するだけ。上面裏側に出た突起を避けたところをカット位置に選ぶと幅が17〜18mm程度縮小することになり，

実物写真と見比べてもちょうど良い感じです。このカットには金属工作用の糸ノコを使いますが，先にPカッターで掘り込んでおくと作業能率だけでなく精度も上がるもの。**図2**

のような簡単な治具を**写真3**のように横方向から当て，Pカッターである程度の深さまで掘り込んだら，そのラインに沿って糸ノコで切り進めることになります。

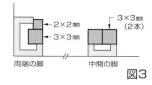

ただ，そのままでは線路を止めるツメが治具に干渉。このツメだけはニッパーを使って先に取り去っておきますが，もちろんそれほどきれいにカットする必要はありません。また，左右に切り離す際には，両端中段の梁を脚のすぐ横で切り落とすことになりますが，Pカッターで掘り込む時には残しておいたほうが作業がしやすく，糸ノコ作業に移る直前にカットすると良いでしょう。

左右に分離したこの時点には脚の工作も行なっておきます。プラ成形の都合から脚の内側は写真4のような形態になっているので，写真5のようにプラ材を追加取付。これで斜め方向から眺めた時の印象もかわることになります。ただ，橋脚1つあたり6ヵ所，高架区間全体では相当

量の作業になるので，開口部分を完全に埋めてから…といった工作は断念。図3に示したようにプラ角棒を取付ける工作としてみました。

両端用は3mmと2mmの角棒，中間用は3mm角棒2本を並べたもので，長い状態に接着しておいて写真6のように必要な長さにカット。元の脚との間にいくらか段差が生じたり，抜き勾配に関連してわずかに傾くようなところもあるのですが，気になるほどではないはずです。

この工作が済んだところで左右の橋脚を接合一体化します。平らな板の上に上下を逆にして置き，左右のものを密着させておいて2～3ヵ所を仮止め。時間を置いて修正する必要がないようだったら，しっかりと接着剤を流しておきます。こうして幅を狭めた橋脚が写真7，加工の前後を比較した様子が写真8です。

路盤部分の工作

以上の加工をした橋脚に，ユニトラックやファイントラックの高架線路を取付ける場合には接着剤を使うことになりますが，この組合わせだと幅を詰めた橋脚から高架線路が大きく左右に突き出してしまいます。そこで作例では複線の線路間隔を詰めることにして，前述のようにフレキシブル線路を敷設する路盤面を新製。橋脚に付属した架線柱台の内側に収まる幅にすると，橋脚とのバランスもちょうど良さそうです。

工作に当って先に決めておかなくてはならないのは橋脚と路盤の取付関係です。フレキシブル線路を使うので，長い路盤の下にいくつかの橋脚を付けていくまとめかたも考えられますが，あまり長いものだと精度を出しにくく，強度面の不安もあるもの。レイアウトに設置するまでは扱いにも気を使うことになりそうです。けっきょく作例では図4のように橋脚ごとに路盤を取付けておく分割方式を選択。路盤の長さによって，※印個所がほかの橋脚間隔に近い寸法に調整できることにもなります。

また，この橋脚＋路盤は架線柱台のあるものとないものの2種を用意して，それを交互に連結しますが，ざっと検討してみると架線柱のピッチもまずまず。工作や取り扱いはず

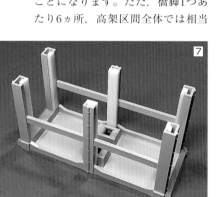

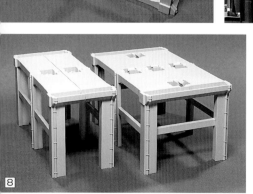

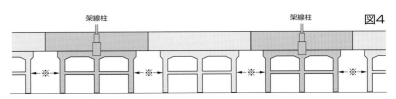

架線柱　架線柱　図4

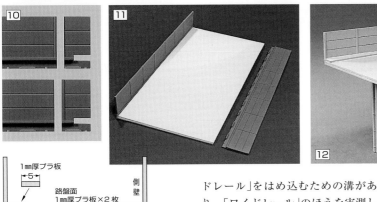

1mm厚プラ板
5
路盤面
1mm厚プラ板×2枚
側壁
図5
64

っと楽になるはずで，フレキシブル線路の敷設はこの橋脚＋路盤をレイアウトに設置した後に行ないます。

以上のように構想がまとまったところでいよいよ工作の開始となります。最初に用意するのは側壁で，これに都合良く使えるのが**写真9**のトミックスの「ワイドレール用壁」。3種セットのうちの板状のものはまさしく高架区間の側壁の形態です。線路に合わせた何種かがありますが，作例では全長が146mmの「C391内・C354外」を使うことにしました。

この側壁は両端に架線柱の差し込み個所があるので，最初にこの部分をカット。**写真10**のように，架線柱が付かない路盤用は浮き出した縦柱の外側で，付く路盤用は内側でカットすると，それぞれの長さは約129mmと127mmになり，これがそのまま路盤の長さにもなります。

次に**図5**のように左右の側壁と路盤になるプラ板を結んでコの字形に接合します。側壁の下側には「ワイ

ドレール」をはめ込むための溝があり，「ワイドレール」のほうを実測してみるとちょうど2mmという寸法。これなら2枚の1mm厚プラ板を重ねる簡単な工作で路盤を作ることができます。また，側壁の厚さと溝の関係を調べると，路盤となるプラ板の幅がほとんど側壁の外側寸法となることも判明。前述のように側壁は架線柱台の内側に収まる幅にしたかったので，路盤のプラ板はわずかに余裕を持たせた64mmの幅に，そして129mmの長さに切り出しました。

写真11はその組立を行なっている様子です。プラ板がちょうど良い硬さで側壁にはまり込むため，接着作業はとても簡単。プラ板を奥までしっかりと押し込んでおくこと，側壁とプラ板の長手方向のズレがないこと，側壁が倒れないようにすることといった，極く当然のことが注意点になります。また，側壁の内側には保線作業員用通路として，5mm幅に切り出した1mm厚プラ板を貼ってあり，これはもちろん補強材の役目も果たすことになります。

組立が済んだ路盤部分はいよいよここで橋脚と接合。し

っかりと位置合わせをしておいて接着剤を流します。**写真12**にスプレー塗料を使ってコンクリート製らしく艶消ライトグレイに塗装した完成状態を示しておきました。

架線柱があるほうは最初にその取付台座を加工します。**写真13**の左のように下面には元の取付部が出っ張っているので，これを右のようにニッパーでカット。平ヤスリをかける時には上面に浮き出た文字もいっしょに削っておきます。続いて**写真14**のように上面に58.5×16mmに切り出した0.5mmプラ板を接着。台座の厚さは実測1.5mm程度なので，このプラ板を貼り重ねることで，1mm厚の材料を2枚重ねにした前後の路盤面と高さが揃うことになります。

これができたら**写真15**のように橋脚の上に接着。言うまでもなく橋脚の中央に取付けることが必要で，マスキングテープを使って仮止めしておき，前後方向や左右方向をしっかり確認しておいてから本格的に接着剤を流します。

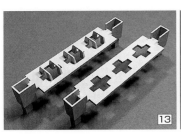

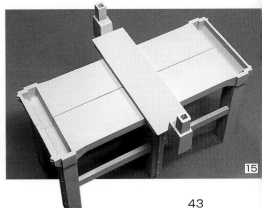

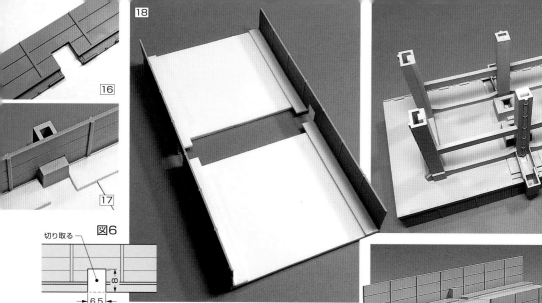

図6

切り取る

6.5

8

次は側壁の加工で，架線柱台に干渉する部分を**写真16**のようにカット。ここを切り欠くことによって，路盤面や架線柱の取付台座とは**写真17**のように組合わさることになります。**図6**はこの部分の寸法を示したものですが，もちろん現物合わせで加工。カッターナイフを使って少し小さめに切り取っておき，架線台座を当てて様子を見ながら削り拡げていくのが確実な工作法なのは言うまでもないでしょう。

この加工が済んだ左右の側壁はここで**写真18**のように路盤面と接合。路盤面は架線柱がないものと同様に1mm厚のプラ板を2枚重ねにしたもので，幅も同じ64mmとなります。こちらは架線柱の取付台座の分だけ引き下がった位置となり，計算上からは長さが55.5mmになるはずです。ただ，実際には側壁の切り欠き位置，あるいは取付台座の幅にバラツキがあるので，取付台座に当るまで押し込んで

おいて，側壁と路盤面の端の位置が揃うように長さを決めることになります。この結果，橋脚と路盤の組合わせも決まることにもなり，この時点に接合をしない場合には組合わせがかわらないように合符を記しておくことも忘れないでください。後は保線作業員用通路の取付だけで前述のものとかわりませんが，架線柱側はその座に当るまで延ばしておきます。

これで架線柱があるほうの橋脚＋路盤もでき上がりましたが，余裕があったら架線柱台の下側に**写真19**のような追加工作をしておくこともお勧めです。梁との間に補強が入っ

た様子を表現したもので，作例では簡単にプラ板を渡しただけの工作に留めていますが，ブロック状に作ってあればさらに見映えが向上することになります。以上の工作が済み，艶消ライトグレイに塗装した完成状態を**写真20，21**に示しました。

最後に触れておかなくてはならないのは架線柱についてです。KATOからは取付台座に対応する架線柱が発売されており，**写真22**に「複線アーチ架線柱」を取付けた様子を掲げました。ご覧のように近代的な高架線路のイメージですが，気になるの

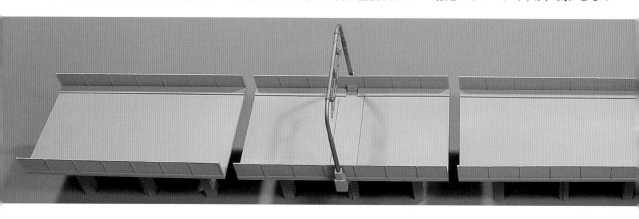

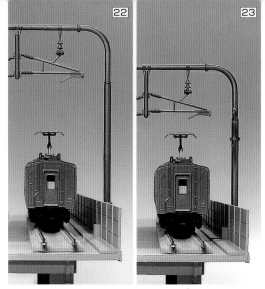

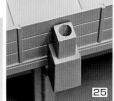

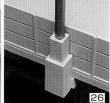

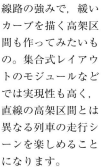

は架線柱の背が高すぎること。下面からレール面までの高さが17.5mmという「複線高架直線線路」に対し，フレキシブル線路のレール面高さは路盤面の厚さを加えても5.5mmほどで，さすがに12mmという寸法差は無視できるものではありません。

対応策でいちばん簡単なのは，架線柱の支柱をそのまま台座へともぐり込ませることでしょう。この様子が**写真23**。仮にPECOのフレキシブル線路を敷いて電車を入線させてみましたが，この程度の高さ関係がちょうど良いように思えます。

写真24の右は架線柱の下側にあるフランジをカットした状態，**写真25**は架線柱の台座の孔を拡げた状態で，**写真26**に架線柱の取付状態も示しました。実測した「複線アーチ架線柱」の支柱はφ2.7だったので，作例では先にφ2.5ドリルを通して細丸ヤスリで拡げるように加工。使用する架線柱が決まっている場合には，もちろん橋脚への接合前にこの

加工をしておくほうが楽な作業になります。

以上で脚が内側に寄り，路盤が外側に張り出した高架橋の工作は完了です。分割状態のこの高架橋を線路配置に合わせてレイアウト上に並べていき，接続部分などの様子をしっかりとチェック。これでOKとなったところで完全に固定をします。フレキシブル線路の敷設は時間を置いてからの作業にするほうが無難で，路盤面から浮かないようにしっかりと接着しておきたいのは言うまでもありません。下に掲げたのは作例の高架橋を仮に並べてフレキシブル線路を置いてみた様子です。バラストを撒き，橋脚や側壁などにウェザリングを施した時の姿が期待できる仕上がりではないでしょうか。

また，この高架線路は自由な半径

の曲線区間に仕立てることができるのも特徴と言えるでしょう。ここまで直線区間用の作例について解説してきましたが，工作内容自体は曲線区間用にも対応するもの。路盤面はカーブ状に切り出すことになり，左右で異なる側壁の長さの調整などには手間もかかるはずですが，橋脚のほうは基本的に直線区間用と同じもので良く，曲線に沿って多角形状に並べるだけのことになります。

市販道床付線路にはない半径の曲線区間を得られるのもフレキシブル線路の強みで，緩いカーブを描く高架区間も作ってみたいもの。集合式レイアウトのモジュールなどでは実現性も高く，直線の高架区間とは異なる列車の走行シーンを楽しめることになります。

市販品の短縮で作る小型レイアウト用ホーム

市販のホームはいくつかに分かれたものをつなぐ方式となっており，セットのほかに延長用の中間部分も別売されています。このためにどのような長さのホームにもなるのですが，ここにまとめたのは短いホームを仕立てる時に参考にしていただきたい工作例。2輌編成程度が停車するホームで，小型レイアウトへの設置を想定したものですが，簡単な工作で1組のセットから2本のホームができるのが面白いところです。ここで使用しているのは写真1に示したトミックスの「島式ホーム（ローカル型）」で，以下の解説はこの製品に沿ったものにしましたが，基本的な工作内容はほかの製品でもかわらないはず。じっくりと眺めていろいろ検討すればその製品に向いた工作が見つかるのではないでしょうか。

「島式ホーム（ローカル型）」は5面のホームが含まれたセットで，それぞれの長さは片側がスロープになったものを除いて20m級車輌1輌分に相当する140mm。すなわち，2面を接続することで2輌編成用ホームになり，セットには1個ずつしか含まれない端部の追加工作によって2本のホームが誕生することになります。

各ホームの組合わせは自由なのですが，作例では上屋があるAと待合

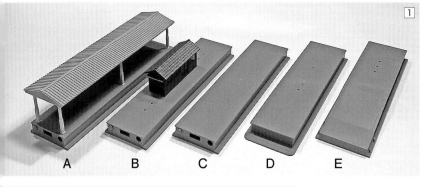

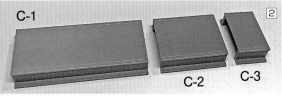

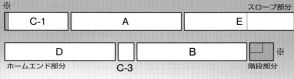

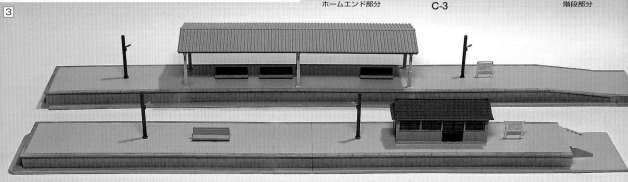

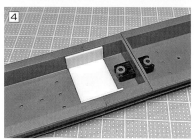

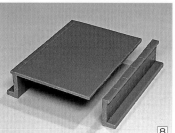

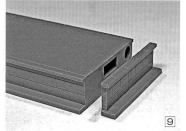

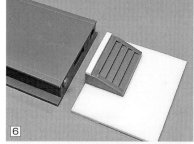

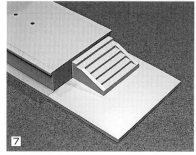

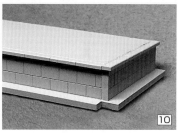

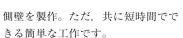

室があるBを分けて使い，ホーム上にパーツ取付孔のないCを切継用に使用。**写真2**はこのCを3ブロックに切り離した状態。**写真3**はこれを含むホームの組合わせ状態で，長さ約80mmのC-1は片側に側壁を増設して端部用に，長さ約20mmのC-3はもう一方のホームの途中に挟んで延長用に使うことにします。以上の工作によってどちらのホームも290mmを越す全長になってきました。

この切断には金属工作用の糸ノコを使いますが，もちろん少し余裕を持って切り離し，最終的にはヤスリを使って整形。できれば側壁の石積み，あるいは縁石のピッチが揃う位置で継ぐようにしたいものです。なお，この接続部分には製品のジョイントが使えないので接着しておくことが必要。この時にはもちろん隣のホームと直線状になるように接続するのですが，相手側の妻面を切り取って**写真4**のよう裏側にプラ板を当てておけばズレが生じにくく，接着強度も向上してきます。

残るのは図に※印で示した端部の工作です。前述のように1組のセットには端部用ホームが1個ずつしか含まれないので，通路踏切からBに渡る階段，そしてC-1の妻面に付く

側壁を製作。ただ，共に短時間でできる簡単な工作です。

階段のほうは言うまでもなくスロープに代わるものです。ホームをスロープ状に加工することも考えられますが，そうするとホームの長さが不足することになり，けっきょく階段にすることに決定。ただ，セットには**写真5**のような付属パーツが含まれており，これを利用すれば手頃な階段を作ることができそうです。

ベースはホーム側壁下側の突き出し部分の高さに合わせて，1mm厚と0.5mm厚のプラ板を貼り重ねたもの

で，階段は高さの不足を補うために2×1mmプラ板の最上段を追加。不要な後方を切り落としてベース上に取付けた様子が**写真6**，Bに接合した完成状態が**写真7**です。

端部の側壁のほうは前述の切断で残ったC-2を流用。**写真8**のようにホーム面から切り離して長さを調整したら，**写真9**のように接着するだけの工作です。側壁部分は縁石より幅が少し狭くなるのですが，これは接着した後に加工するほうが作業が楽かも知れません。この完成状態を**写真10**に示しておきました。

木の棒を材料にする量産向きの橋脚

市販の鉄橋は橋脚をセットにしたものも多く，その組合わせのままレイアウトに設置する場合がほとんどと思われます。ただ，橋梁部分に比べると橋脚はずっと単純な形態の構造物なので，自作もそれほど難かしくないはず。鉄橋全体の印象は橋脚によってもかわってくるので，この地形の中の鉄橋ならどのような橋脚が似合うだろうか…といったことを考えてみても良さそうです。

ここで作例をご覧に入れるのは木の棒を使った橋脚で，どちらかと言うとコンクリート製のものにしやすい工作方法。下側が太くなったタイプにはなりませんが，長い材料から

↑木棒を芯材にしているこの橋脚は塗装の前に下地処理をしておくことが必要。左はスプレー式のサーフェイサーを吹付けてサンドペーパーをかけた状態，中央は質感強調のためにサンド調スプレーを吹き重ねた状態，右はさらにサーフェイサーを吹付けた状態を示す。

↑塗装後には打継ぎ目を表現。マスキングテープを左のように巻いてパステル粉を擦り込み，テープをずらしてその下側を〜と，何段階かの作業を行なう。中央はこの表現が済んだ状態，右はさらに錆を纏った状態のウェザリングを加えた状態である。

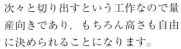

次々と切り出すという工作なので量産向きであり，もちろん高さも自由に決められることになります。

　材料は模型店やホームセンターなどで入手しやすい桧棒で，**写真1**に示したように2本とか3本を組合わせて希望寸法に近づけるのも良さそう。**写真2**の例のように異なる断面形態の棒と組合わせることもあるでしょう。幅方向の寸法は単線用と複線用で異なるだけでなく，橋梁の種類によってもかわってくることになります。先にしっかり検討して無駄がない材料選びをしてください。

　ただ，何本かの組合わせではつなぎ目部分に食い違いが生じることがあり，接着後にサンドペーパーをかけるなどの修整も必要。製材の程度に差がある場合もあり，表面となる

側を先にある程度整えておくと仕上がり状態もかわってきます。

　写真3に示したのは実例を見かけることも多い長円形断面をした橋脚の工作途中です。角棒の両側に半丸棒を付けたもので，作例では15×15mm角棒と15mm半丸棒を使用。仕上がりサイズの30×15mmは，単線のデッキガーダー橋用としてまずまずの寸法に思えます。この接着の際には木工用ボンドを使いま

すが，3本が密着するように，そしてずれないように固着までの間は途中の何個所かにテープを巻いておく

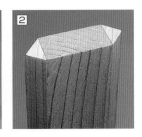

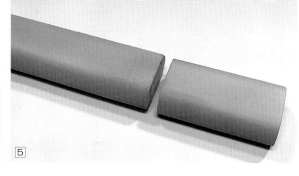

4

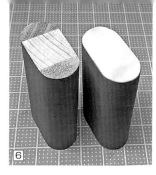

5

6

と良いでしょう。

完全固着を確認したら次は表面を整える作業に移ります。角棒と半丸棒のつなぎ目の修整については前述しましたが，ここに隙間が生じていることもあり，この時点にもう1回チェック。必要ならサンドペーパーをかけることになり，隙間についてはプラパテを先に塗り込んでおかなくてはならないかも知れません。

OKとなったら表面にスプレー式のサーフェイサーを吹付け，その乾燥後にサンドペーパーをかけて下地を整えます。棒状の段階にここまで済ませておくのはもちろん量産を考えているためで，特に背がそれほど高くない橋脚の場合は，先に1個ずつに切り離してしまうと修整作業自体がしにくくなってしまいます。

作例ではサーフェイサーに写真4に掲げたロックペイントの「プラサフグレー」を使用してみました。これはそのままでもコンクリート製構造物らしく見える色合いであり，吹付面がけっこうザラッとした感じになるので，後述する作業のことも考えて採用。写真にはその作業のほうで使用するアサヒペンの「ストーン調スプレー」も並べておきました。

サンドペーパーがけが済んだら，いよいよここで写真5のように橋脚1個ずつに切断します。正確な長さに切断したいのはもちろんですが，勾配区間用は別として，長手方向に対して切断面が直角になることも大切です。DIY用の電動ノコギリなどが使えれば精度は向上するのですが，手作業の場合は木工用の糸ノコ，あるいはレザーソーを使う場合が一般

的と言えるかも知れません。

ただ，実際には一発で…というのは難しく，ヤスリ修整をするための削りシロを含む長さに切断することになります。1方向からの切断では直角を出しにくいので，ひとまわりさせておいたケガキ線をガイドに，さまざまな方向から切り込み，最終的に切り離す…と言った作業がお勧め。もちろんデコボコした切断面になってしまいますが，傾いた切断面より直角に近づける修整が楽なものです。1方向からの切断と違って，切り離された時に端が少し欠けてしまうようなこともありません。

写真6の左は木工用の平ヤスリや粗めのサンドペーパーを使って修整した切断面ですが，粗いこの面はサーフェイサーを吸い込みやすく，なかなかきれいな表面になってくれません。完成後に見える上面については右のように薄いプラ板を接着して木目を隠してしまいます。

一方，下面については，水面上のように根元まで見えるところに取付ける場合と，シーナリィ工作後に隠れてしまうところでは仕上げかたに差をつけても良さそう。少し背が低くなってしまった…という場合も，地面や雑草の中に埋もれるものは，取付の際にボール紙などを挟んで調整することができ，このほうが現実的な対処方法と言えるでしょう。

最後に修整作業で下地が現れた個所，そして上面に貼り加えたプラ板を覆うように「プラサフグレー」をもうひと吹きすれば橋脚は完成。表面は塗装が不要と言えるほどコンクリートの色合いに近い仕上がりとなり，ウェザリングを施せばすぐにもレイアウト上に設置できそうです。

このほか，作例ではコンクリートの質感を強めに表現してみたいと考

え，テストも兼ねて以下のような工程を追加してみました。塗膜が厚くなるので建物の外壁などには向いていないのですが，この橋脚，そしてトンネルポータルや擁壁といった繊細なディテールが少ないコンクリート構造物では，ザラッとした感じをいくらかオーバースケール気味に表現したほうがかえってそれらしく見えるのでは？と考えました。

これには先に写真を掲げた「ストーン調スプレー」を使います。このスプレーは吹付けるだけでザラザラとした石目ふうの塗装面が得られるというもので，レイアウト関係の工作にも使い道はいろいろありそうですが，Nゲージサイズのコンクリート面にはさすがに粗過ぎる印象。そこでその塗装面に重ねるように，下地処理のほうで使った「プラサフグレー」を吹付けてみました。

これによって「ストーン調スプレー」の塗装面のザラザラ感がけっこう抑えられ，その乾燥後にサンドペーパーをかけると表面の感じも変化。テストの結果では「プラサフグレー」の塗布量やサンドペーパーのかけかたも表面の感じに影響しているように思えます。写真7はその変化を示したもので，左奥が「プラサフグレー」だけを塗布した状態，中央が「ストーン調スプレー」を吹き重ねた状

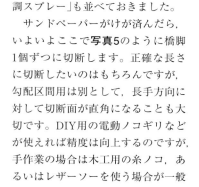

7

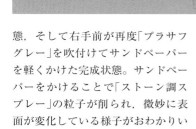

態，そして右手前が再度「プラサフグレー」を吹付けてサンドペーパーを軽くかけた完成状態。サンドペーパーをかけることで「ストーン調スプレー」の粒子が削られ，微妙に表面が変化している様子がおわかりいただけるでしょうか。

写真8, 9はこのような工作によって完成した，断面が長円形，円形，矩形の橋脚です。円形と矩形のものは1本ものの桧棒を使っているのでつなぎ目部分がなく，下地作りのためのサーフェイサーの塗布は省略。1回目の「ストーン調スプレー」をサーフェイサー代わりにして下地を整え，2回目の「ストーン調スプレー」の吹付，そして「プラサフグレー」の吹付と工作を進めてみました。

こうしてでき上がった橋脚，レイアウトに設置する際にはもちろんウェザリングまで施しておきたく，最初に掲げた設置状態3カットの写真でその効果をご覧に入れました。このウェザリングはパステル粉を擦り込む方法によっていますが，**写真10**のようにマスキングテープをずらし

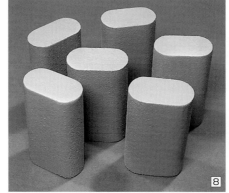

て何段階かの作業をすると，簡単にコンクリートの打継ぎ目の跡を表現することが可能。境界のコントラストを強めにしておき，最後にコンクリート色のパステル粉でそのあたりをぼかす手順が良さそうです。

このほか，このように桧棒を芯材にしてほかの形態の橋脚…と考える人もいるはずです。**写真11**は上部に角棒，三角棒，半丸棒などを付け加えた例で，切り離してから1個ずつの加工…となるために量産向きとは言いにくいのですが，コンクリート製らしく塗装をした完成後の姿には

期待を持てるのではないでしょうか。

また，ここでは触れていませんが，実際の橋梁は支承という装置を介して橋脚上に保持。すなわち橋脚上面と橋桁下端は少し離れた位置関係となっています。この支承は橋桁の変形を吸収するもので，模型ではもちろんダミーとなる小さなパーツなのですが，橋桁をセットする際の高さ調整部分として役立つもの。支承については，Nゲージファインマニュアル2「本線上のストラクチャー」に工作例の，そして同9「市販ストラクチャーの各種改造」には支承の簡易工作と共に，その点検給油用通路の工作方法が紹介されています。お持ちの読者の方はぜひそちらを参照するようにしてください。

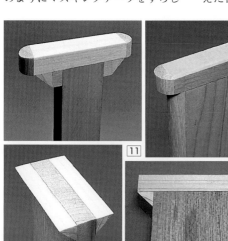

小規模保線基地の実例

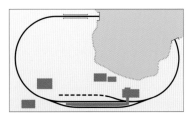

　このプランのような小型レイアウトの場合も駅から短い側線を引き出すことがあります。ここに貨物ホームを設けた作例も少なくないのですが，近年では上下列車の交換を行なう程度の駅で貨物扱いをしている実例はほとんどないはず。現行車輌の運転をテーマにしたレイアウトなら，ここにご覧に入れたような保線基地

としてまとめることを考えても良いのではないでしょうか。上に掲げた実例は上毛電気鉄道の新里駅，下はわたらせ渓谷鐵道の神戸駅で，共に駅の下り線から分岐した線路の先が小さな保線基地となっています。
　新里駅のほうはすぐ横にバラストが積まれており，ここからローダーがホキ1へと積載。現在ではモーターカー＋撒布トロッコの運用にかわっていますが，かつては保線列車をデハ100が牽引することでファンの人気を集めており，当然ながらこの構内まで架線が延びていました。また，ホキ1が停まる少し手前には，簡単なものながらレールの積込装置

もあり，もちろんこのあたりまで模型化してみたくなります。
　神戸駅のほうは線路の先端にモーターカー庫があり，その手前に何輌かのレール運搬用トロッコが並ぶといったシーン。自走できるモーターカーが欲しいところですが，とりあえず小型DLを使った運転を楽しんでみてはどうでしょうか。

円筒形ストラクチャーの工作

ここではレイアウトに設置されることが多い給水塔や燃料タンクを例にして，円筒形ストラクチャーの自作時にヒントになりそうな工作内容をまとめてみました。この円筒形のストラクチャー，四角い建物と違って工作方法に迷うこともありますが，楽に思えるのはやはり芯材にプラケースなど，円筒形のものを使うこと。**写真1**には100円ショップで見つけたケース類や，ストラクチャーキットの余剰パーツ，使い終えたテープのロール芯などを並べてみましたが，これらを眺めているとさまざまなアイディアも浮かんできます。

作例は石積みの脚の上に鉄板製タンクを載せた**写真2**のような給水塔

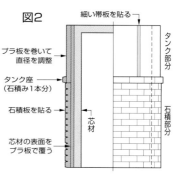

図2

と，**写真3**のような気動車やディーゼル機関車の基地に設置する燃料タンクです。給水塔に使用した芯材はエポキシパテが入っていた**写真4**のケースで，蓋を除く寸法は実測φ27×48mm。わずかな抜き勾配が見られましたが，工作内容に影響するほどではなく，給水塔の芯材としては充分に実用になりそうです。

ただ，このケースには接着剤がほとんど効かないプラ材料が使われており，このほかのケースにも同様の例が見られました。表面にプラ板を巻いてカバーしておくのが簡単な対応策で，これでこの先の接着剤を使う工作ができることになります。プラ板はできるだけ薄いものを使い，**図1**のように1枚目を両面粘着テープを使って止めておいて，2枚目は反対側で接着。継目をサンドペーパー

で軽く整えた様子が**写真5**で，この工作はもちろんペーパー製のロール芯などにも応用できるものです。

この芯材の外側は**図2**のように下側が石積み部分に，上側がタンク部分になります。石積み部分には市販のプラ製素材を使いたいところですが，細く丸めることができないので**写真6**のような方法で自作。Pカッターで縦横両方向にスジ彫りをしたプラ板を横方向に切り離し，別のプラ板上に半ピッチずらしながら貼っていくというものです。

これは今までのNゲージファインマニュアルにも何回か紹介されている工作法ですが，今回は丸めて使うことを前提に，できるだけ薄いプラ板に貼ることがポイント。薄いプラ板としては，惣菜などの販売に使われる透明ケースも知られており，方眼紙の上に重ねるとそれが接着時のガイドになってくれます。固着後にはカエリを除去するためにサンドペーパーをかけますが，それによって石の表面らしい粗面にもなるのも好都合。丸

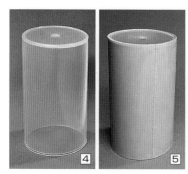

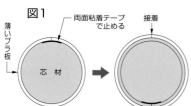

図1

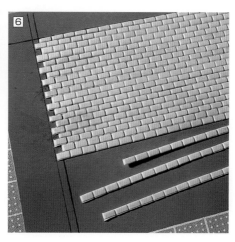

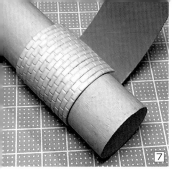

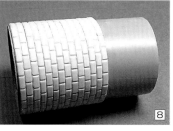

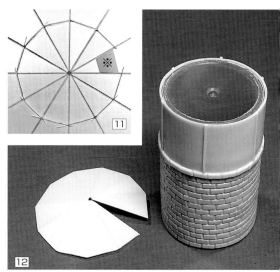

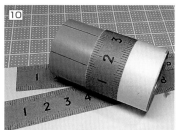

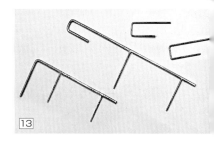

棒に巻いて丸めグセをつけている様子を**写真7**に，カットして芯材に貼付けた様子を**写真8**に示しました。

タンク部分にはプラ板を2枚巻きましたが，これは直径を石積み部分と同じ程度にするためです。実物にはさまざまな例があるのでそのままでも良かったかも知れません。続いて，石積み部分の製作で残っていた1本をそのまま貼ってタンク部分下側のタンク座を表現。この工作途中が**写真9**で，石積み部分とタンク部分の境に生じていた隙間のカムフラージュにもなっています。

タンク体の縦方向に貼った6本の細い帯板は鉄板の継目を表現したもので，もちろん長めにしておいて上側に突き出したものを固着後にカットします。この帯板は等間隔で接着することになり，この位置出しのために欲しいのは円周に沿って丸めることができるスケール。**写真10**に示したのは金属製スケールをそのままコピーしたもので，これを使って外周の長さを測ればどのような分割にも対応できることになります。

屋根はプラ板にPカッターでスジ彫りをして折るという作りかたで，**写真11**をご覧いただければ特に説明も不要なはず。切り取った後に残る部分は※印のように切り詰めることで点検口として利用できるのも面白いところです。ここまで済んだ状態が**写真12**。中心を合わせながら，そして傾かないように注意しながらタンク部分に接合します。

最後の工作は配管類で，スポートが少し離れたところにあると想定するこの給水塔の場合は，地上からタンク体上部まで延びる揚水管のほかに，タンク体下部からスポートへと延びる送水管を取付けます。作例ではφ0.8真鍮線を使っており，**写真13**のようにタンク体に結ぶφ0.5真鍮線をハンダ付け。コの字形に曲げたものはハシゴの取付座です。

これらの取付孔はもちろんピンバ

イスを使ってあけることになりますが，円筒形部分にあける際にはドリル刃がすべりやすいもの。この作業のために用意しておきたいのが**写真14**に示した簡易Vブロックです。板の上に2本の三角棒を付けただけのものですが，これでしっかりと保持することができ，1個を準備しておくとさまざまな工作に役立ちます。また，**写真15**のように孔あけ個所にマスキングテープを貼っておくとケガキ線を描きやすく，ドリル刃がすべりにくくなってきます。

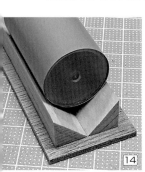

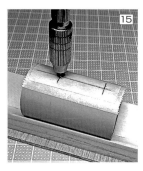

ハシゴはストラクチャーキットの余剰パーツの流用で，先に石積み部分に取付けておいた真鍮線の座に接着。タンク体の屋根には加工のしやすさからあけた孔がそのまま残っているので，細いプラ丸棒やプラパイプを差し込んでそれらしい形態に整えておきます。以上の工作で石積みの脚を持つ給水塔が完成。塗装前の姿を**写真16, 17**に掲げました。

もうひとつの作例の燃料タンクは銀色に輝く円筒形のもので，地下埋設型よりずっと目立つ存在。特に非電化の地方私鉄あたりをテーマにしたレイアウトなら，車輌基地の一角にぜひ設置しておきたくなります。

こちらの芯材は**写真18**に掲げたスティック糊のプラ製ケースで，使用する中央部分の実測寸法は$\phi 20 \times 48$mm。実物の容量はさまざまなのではないかと考え，写真

を参考に長さ38mmに切り詰めて，径と高さのバランスを整えました。

工作自体は前述の給水塔よりずっと簡単です。フランジのような天板は大きめのプラ板を接着した後，カールさせた薄手のプラ板をはめておいて多角形状に切り詰め，最後にサンドペーパーをかけて整形。この様子が**図3**で，天板上とタンク体下部にプラ丸棒を加工した清掃口を取付けた状態が**写真19**です。

この後に付けるのは揚油管と避雷針，ハシゴといったもので，作例では送油管とハシゴにストラクチャーキットの余剰パーツを活用しています。送油管はバルブの表現が嬉しいのですが，給水塔のように真鍮線を使えばタンク体への取付部分がスッキリとするはず。天板上のアクセン

トとなる避雷針は$\phi 0.5$真鍮線で，根元にはプラパイプの引延ばし線をはめた取付にしてあります。

以上の工作が終わり，プラ板から切り出した座の上にセットした状態を**写真20**に，簡単に作った止油囲いと共に塗装まで済ませた完成状態を**写真22**に示しました。実物写真を見ているとこのほかにも細かい配管類があり，これらはこれから手を加えたいところ。この燃料タンクはもちろん給油装置とセットでレイアウト上に設置することになります。

図3

18

19

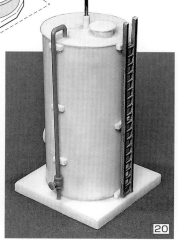

20

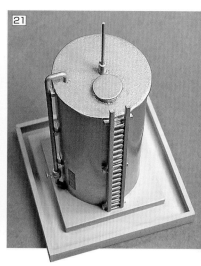

21

↑透明なプラケースの表面に窓パーツや壁面となるプラ板を貼ったビルの作例2種

プラケースや木片が芯材の建物

↑窓がない建物なので，木片を芯材に簡単な工作で仕立てたさまざまな倉庫

↑木片を芯材にしながら，一部に透明プラ板を使って窓を設けた運送会社の工作例

市街地の鉄道をテーマにしたレイアウトならいくらでも欲しくなるのが建物。完成品やキットもいろいろ発売されていますが，変化に富んだ街並みを…と考え，自作の建物を加える場合もあります。この工作ではプラ板，あるいは厚手のペーパーを材料にすることが多く，側壁を枠状に組立て，その上に屋根や屋上を載せるといったまとめかたが一般的ですが，側壁の工作では特に窓をくり抜く作業に手間がかかるもの。スッキリとした感じに仕上げるのも考えている以上に難かしいものです。

ここで紹介することにしたのは，プラケースや木片を芯材にして，その表面に側壁を貼るといった簡便な工作法。透明なプラケースを使えば窓がある建物に対応できることにもなります。もちろん建物の形態によっては向いていない工作ということになり，仕上がりが市販品のレベルより劣ることもありますが，レイアウトの奥のほうに配置するような建物なら充分に実用になるはず。量産がしやすいだけでなく，費用面が抑えられることも大きなメリットと言えるのではないでしょうか。

透明ケースを芯材に使用

駅前などに多い1階が店舗のビルを作例にしましたが，最初に取り掛かるのは言うまでもなく手頃なサイズの透明ケースを探すことになります。手持品の中に使えそうなものが見つかることもありますが，プラ製ケースは外側に抜き勾配が見られるものが少なくなく，大切なのはこれがなく，あるいはほとんどわからないものを選ぶこと。角に丸みを持つ

1

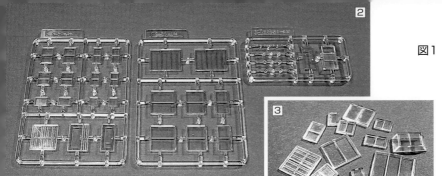

図1

図2

ケースもありますが，小さなものなら壁面で隠すことができます。

　このようなケースの宝庫では？と，改めて探索した100円ショップで見つけたのが**写真1**に示した箱状のものです。作例の2棟に使った右は縦，横，高さがそれぞれ60mm程度で，そのまま3階建のビルの芯材にぴったり。左は高さが90mm程度で，こちらは5階建のビルになりそうです。

　このケースの調達に併せて考えておかなくてはならないのが，窓をどのように表現するかということです。芯材が透明なので，窓部分以外を壁面で覆えば最低限の表現はできるのですが，やはり欲しいのは窓枠やサッシ類。その有無で仕上がり状態も左右されそうです。銀色のテープを細く切って貼ったり，極く細いプラ帯材を貼った工作例も見かけますが，窓が多いと手間がかかるのは明らかで，窓ガラスを汚さないように貼るのも難しいように思われます。

　改めて市販のストラクチャー用パーツを探して見つけたのは，**写真2**に掲げたさかつうギャラリーの「ドアーと窓（近代風）」です。旧こばる製品のこのパーツは，サイズや形態が異なる窓や扉などを集めたもので，

ほとんどはそれぞれを2つずつ含む内容。同じ窓がたくさん並ぶ建物の場合は不足ぎみですが，窓の形態や配置が異なる何棟かを作る場合には，何セットかを購入して使い分ければ良いことになります。このパーツはランナーから切り離すことが必要で，目の細かい平ヤスリやカッターナイフなどで切り離し部分を仕上げた様子が**写真3**。透明パーツだけにこの修整状態も仕上がりに大きく影響してきます。

　このパーツを芯材となるケースの上に並べて窓や扉の位置を決めたら，続いて壁面となるプラ板を用意します。この工作ではいくつかに分けたプラ板を貼っていく方法を採っており，これで面倒な窓開け作業を省略。また，窓の汚れを防ぐためにプラ板の固定に接着剤も使いません。帯板状に切り出したプラ板に壁面の色を吹付け，裏側にタック紙付きの両面粘着テープを貼ったものが素材で，これを必要な長さにカットしながら貼っていくことになります。

　作例ではこのプラ板に1mm厚のものを使用してみました。窓パーツに当ててみると，壁面のほうがほんの少し奥まることがわかり，これなら窓に接する断面部分に追加塗装をしなくても済そう。壁面より窓がけっこう突き出した実例もあり，薄手

のプラ板を使えばカットする作業ももちろん楽になってきます。プラ板の幅はもちろん窓パーツを実測して決めますが，切断面をできるだけ直角に仕上げておくことも大切。断面が斜めになっていると接続部分に隙間ができるためで，当然ながら切断時に生じたカエリもきれいに除去してから塗装を行ないます。

　窓や扉の取付や壁面の貼付けは1階から行なうことになり，この作業を開始した状態が**写真4**です。**図1**は壁面の組合わせ状態と貼っていく順序を示したもので，1階の場合は扉と芯材の下端を揃えて上側の①を貼ってから，中央の②を，そして両脇の③を貼付け。2階は窓の下端を①に当てておいて④，⑤，⑥の順に，3階も同様に⑦，⑧，⑨の順に貼付けていくことになります。

　ただ，実際には壁面を正確な長さにカットするのは難しく，ほんのわずか長めに材料取りしたものを，貼る前に当てて様子を見ることになるはず。わずかな張り出しの場合は貼ってから余分なところを削るほうが作業が楽なのですが，このあたりは実際に工作して要領を掴んでいただくしかありません。なお，この作例ではご覧のように1階中央部分の壁面を省略。芯材の表面をショーウィンドウのように見せていますが，これは変化をつけると共に，扉パーツの節約も目的にしています。

　扉パーツや窓パーツは接着固定することが必要です。**図2**に矢印で示したのが接着剤を流すところで，1階の扉のみ下側から，2階から上は窓の上側からとなりますが，これは

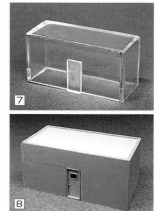

7

8

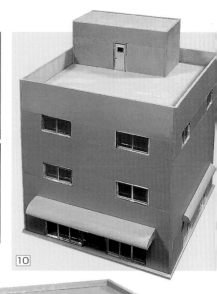

10

6

9

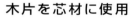

11

当然ながら壁面を貼る作業と同時に進行。使用するのは流し込みタイプの接着剤で，取付強度に影響しない程度の微量にすることが大切です。ただ，扉パーツや窓パーツはどちらの面にも窓枠が浮き出しており，ガラス面が芯材からほんの少し浮いた状態で接触。微量の接着剤だとガラス面まで達することがありません。

この作業の繰り返しで4面に壁面が貼られ，角部の突き出た部分をきれいに削った状態が**写真5**。プラ板の断面が白く見えるところには面相筆を使って壁面の色を塗っておきます。続いて屋上部分に**写真6**のようにプラ板を貼りますが，この工作については説明も必要なさそう。屋上が付くことで建物の内部が暗くなり，窓ガラス越しに見る側壁裏側の感じに不自然さがなくなります。

ご覧のようにこの作例はいちばん上の壁面を高くしてあり，屋上階を設置。これは小さなケースを使って**写真7，8**のように作ったもので，工作内容自体は建物本体とかわりません。また，1階の店舗入口にはヒサ

シテントを取付けてあり，**写真9**がその工作途中の様子。一辺が3mmの1/4プラ丸棒と3mmプラ角棒を組合わせた簡単なものですが，側壁のプラ板の継ぎ目をいくらかカムフラージュできたのではないでしょうか。

最後に取付けるのはベースとなる1mm厚程度のプラ板で，建物より少し大きめのものを明るいグレイに塗って接着。こうしてできあがったビルの様子を**写真10**に示しました。

完成状態を**写真11**でご覧に入れたもう1棟の作例も工作内容自体はまったく同じです。こちらは壁面の色が交互にかわるビルにしてあり，このような実例を見かけることも多いもの。これでプラ板の継ぎ目が目立たなくなりそう…とは誰もが考えることではないでしょうか。以上，2棟の作例のビルは道路を向くほうの壁面に窓を集中させる作りかたをしており，ほかの壁面の窓は基本

的に省略。レイアウトの市街地に並べて建てることを想定して，ほとんど見えないと思われる壁面については工作を簡略化しています。

木片を芯材に使用

窓がない建物を作る場合には木片を芯材にすることもあり，倉庫類の製作に向いた工作と言えますが，シャッターが閉じた店舗などへの応用

12

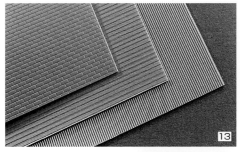
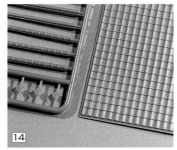
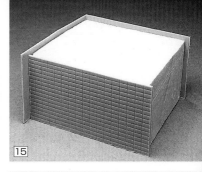

13　14　15

を考える人もいるはず。
工作内容はプラ製ケース
を芯材にする場合と基本
的にかわりません。こち
らも都合の良いサイズの
木片を入手することが最
初のステップで，もちろ
ん自分でカットしたもの
も使用できるのですが，
きれいな直方体に切り出
すのはけっこう難かしい
もの。ホームセンターの
カットサービスの利用も
考えたいところです。ま
た，ホームセンターでは
端材を安価で販売してい
る場合があり，**写真12**
が作例で使ったものの一

16　17　18

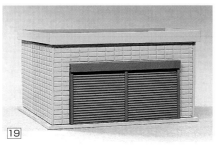

19　20

部。自分で選ぶことができて袋に詰
め放題…といった販売方法になって
いることが多いようです。
　壁面は前述の工作と同様にプラ板
を両面粘着テープを貼って形成しま
すが，窓がある建物と違って1枚も
のになるので工作は簡単。そこで作
例の倉庫にはさかつうギャラリーか
ら発売されている**写真13**の「プラノ
イタ・ブロック」，「プラノイタ・下見
板張」，「プラノイタ・波板」を使っ
てみました。これらは実測0.7mm程
度の厚さの素材で，加工しやすい比
較的柔らかいプラで成形されたもの。
下見板張りの建物の
屋根には**写真14**に
示した「プラノイ
タ・屋根瓦」も使用
してみました。
　作例のうちの2棟
は近代的なレイアウ
トにも使いやすいブ
ロック積みの建物に
してあり，**写真15**〜

17に示したのがその工作途中。外
壁を貼った後にプラ板や細いプラ角
棒，波板を使って屋根まわりやシャ
ッターの工作を行なった状態が**写真
18**で，最後にベース板を取付けて塗
装を済ませた完成状態を**写真19，20**
で示しました。
　もう2棟の作例はへの字形の屋根
を持つ倉庫で，下見板張りと波形ト
タン板張りの建物に作り分けてみま
した。屋根部分の芯材はプラ板の組
合わせでも簡単にできそうですが，
小さな建物ということもあり，作例
では**写真21**のように製作。Pカッタ

ーでスジ目を入れたプラ板を折った
もので，妻壁側の壁面は**写真22**の
ように背が高いものを貼ってから，
余分なところを切り落とします。扉
やヒサシ，屋根まわりの工作を済ま
せた状態が**写真23，24**です。

23

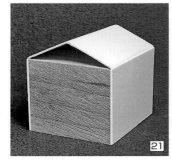

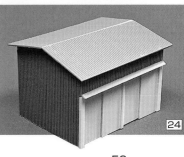

21　22　24

59

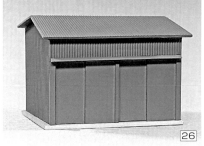

ベース板の取付と塗装を済ませた完成状態が**写真25，26**。作例ではこれからの工作ですが，真鍮線などを使って縦樋を付けると，角部に生じた外壁間の隙間や食い違いのカムフラージュと細密化の両方に効果があるのではないでしょうか。

以上4棟の作例では工作を簡略化するために入口部分を壁面の外側に取付けていますが，シャッターが奥まって付いていたり，引戸が壁面内側に収まるような建物にするのも意外と簡単。プラ角棒やプラ板，桧棒や合板などを貼って壁面側を出っ張らせておけば良く，この芯材の様子を**写真27**に示しました。

さて，この木片を芯材にした建物の工作，メインは表面に外壁の素材を貼ることなので量産向きと言えるのですが，キットや完成品など，プラ製のものに比べて重くなってしまうことが難点。大きな建物を数多く設置したレイアウトはけっこうな重量になってくるでしょう。

いちばん簡単な軽量化は**写真28**

に示したような中抜き構造にすることです。この例では両側の木片をそのまま合板で結んでいますが，建物の形態によっては**図3**のように途中に別の木片を挟む場合もありそう。このように合板の代わりにプラ板を使う場合，特に大きな建物の場合は，反りを抑えるために補強材を入れることも必要になってきます。

図4の例も同様に木片をプラ板で結んだ組立を描いておきましたが，こちらは透明プラ板を使用。この壁面を芯材から離しておくと，両端部を除いて側壁に窓の設置をできることになります。道路に面した正面側だけに店舗を表現し，設置後にあまり見えない裏手側は合板で…といった構成も考えて良さそうです。

最後に掲げた作例は運送会社を想定した，1階が大きく開口した車庫，2階が事務所という建物です。2階は窓が並ぶ正面側に透明プラ板を使っていますが，ほかの壁面は表面に薄いプラ板を貼っただけ。1階の内部もトラックが入れば見えなくなるので，木片や合板面がむき出しになったままの状態にしてあります。

写真29は切り出した透明プラ板の上下にプラ角棒を付け，窓枠の接着を済ませた状態です。この窓枠は別項「建築模型用素材の活用」のビルでも使っているフェンス素材で，この素材や工作方法についてはそ

ちらを参照。この建物では銀色のテープを細くカットした縦桟を貼り，窓の小型化のテストをしてみました。

写真30は両端の木片と背面の合板をコの字形に組合わせた建物本体に，透明プラ板の壁面を取付けた状態。続いてプラ板から現物合わせで切り出した屋根，補強用を兼ねた縁のプラ角棒を取付け，筆塗りで塗装を済ませた完成状態を**写真31**に示しました。いかがでしょうか。いかにも市街地で見かけそうな建物で，消防車や救急車を並べればそのまま消防署にもなりそうです。

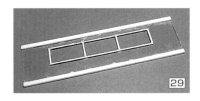

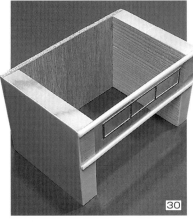

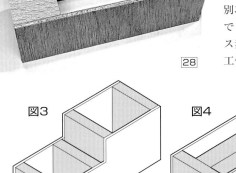

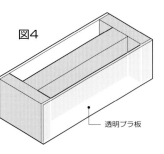

図3　　プラ板

図4　　透明プラ板

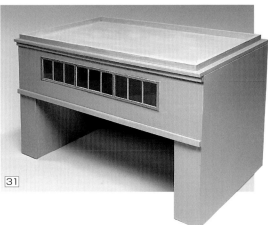

有効利用できる余剰パーツ

　キットや完成品をベースに改造工作を続けていると，いつのまにか集まっているのが使用しなかったパーツや素材の切れ端など。それらを眺めていて，これで何かができるのでは？と考えたことはないでしょうか。ここでご覧に入れるのはそんな工作で誕生したストラクチャーです。ただ，手元の余剰パーツ類は当然ながら人によってさまざま。ここではそれぞれの工作内容というより，こんな展開もある…と，発想を拡げていただける解説にしてみました。

　最初に作ってみたのは実例を**写真1，2**に示した構内掛などが待機するための小屋で，大きな駅の構内や車輌基地などで見かけるもの。プラ板を材料にした新製も難しくない小さな建物ですが，余剰パーツを使えば扉や窓まわりがスッキリとしたものになりそうです。素材として起用

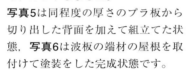

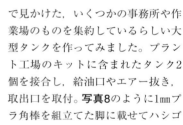

したのは**写真3**の壁面で，これを**写真4**のように分割。両端は接合用に斜めに成形されていたのでそこを切り詰めた組立にしてあり，左右の側板は上部を斜めにカットしました。

写真5は同程度の厚さのプラ板から切り出した背面を加えて組立てた状態，**写真6**は波板の端材の屋根を取付けて塗装をした完成状態です。

　写真7は灯油タンクです。寒冷地では住宅外部に暖房用灯油のタンクを設置していますが，ある車輌基地

で見かけた，いくつかの事務所や作業場のものを集約しているらしい大型タンクを作ってみました。プラント工場のキットに含まれたタンク2個を接合し，給油口やエアー抜き，取出口を取付。**写真8**のように1mmプラ角棒を組立てた脚に載せてハシゴを掛けてみました。

　写真9は駅前はもちろん，集合住宅などにもありそうな自転車や2輪車の駐輪場で，**写真10**のように小型ホームの屋根とその柱，プラ板から切り出した床面や囲い板を組立て

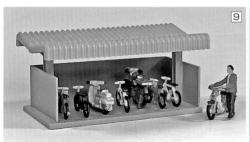

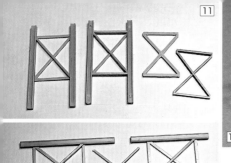

11

12

13

14

15

るという簡単な工作によるもの。への字形の屋根を使えばよりローカル線の駅前に似合うものになるでしょう。別のキットに含まれていた自転車や2輪車を配置してみると楽しいミニシーンが誕生しました。

写真11は跨線橋を改造した時の余剰パーツで，このような鉄骨トラス構造の骨組はいろいろな設備の脚に都合良く使えるもの。作例ではこれを利用して蒸気機関車基地の給炭台に仕立ててみました。キットには各パーツが4個ずつ含まれていたので，一部をカットして切継ぐことにより，**写真12**のような骨組を2連製作。この2連を残りのトラスで結んで枠状に組立てた状態が**写真13**で，縦柱の下には小さくカットしたプラ板を付けてコンクリート製の基礎部分を表

現してみました。

石炭置き場はスジ目入りのプラ板を簡単に組立てたものですが，囲い板を支える補強材を加えると見映えもいくらか向上。こちらも同じキットの余剰パーツで，**写真14**のようにカットして取付けてみました。

階段には建築模型用素材を使っていますが，手持ちパーツの中に手頃なものが見つかる人もいるでしょう。以上で工作は完了，**写真15**はフレキシブル線路との高さ調整用に薄い合板の上にセットした様子です。

写真16に掲げた手スリ類もキットの改造加工で余ることがあり，これは各種構内設備の製作にいろいろと使えるもの。ここでは簡単なストラクチャーとして，実例を**写真17**に掲げた小型パンタグラフ点検台の作例をご覧に入れます。編成全体に対応する長いものと異なり，これなら小型レイ

アウトの小規模車輌基地にも設置しやすく，駅の留置線にも似合いそう。挟む2線に対応するものなので，線路間隔に合わせてデッキ部分の寸法を決めることになります。

デッキ自体はプラ板の両側に手スリを立てるだけのもので，昇降階段が付く個所の横桟を先に切り落としておくのは**写真18**のとおり。プラ製の手スリは抜き勾配の関係で細く見える側と太く見える側があるので，当然ながら細く見えるほうを外側に向けるような取付をします。

脚の工作は別項の「静態保存された蒸気機関車の展示場」の上屋と基本的に同じで，デッキを載せる座部分とT形の基礎部分を0.8mm真鍮角線で結び，外側にプラ製のH形材を付けるというもの。こちらは脚が2本なので基礎部分に対して座部分が傾きやすく，固着前にチェックする必要がありますが，工作自体は難かし

16

17

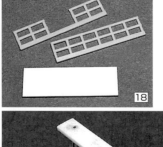

18

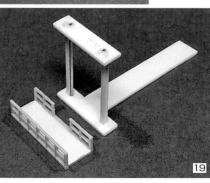

19

20

62

くありません。写真19はここまでの工作が済んだ段階です。

座部分の上にデッキを取付け，現物合わせで長さを調整した階段を掛けた完成状態が写真20，21です。作例で使った階段は前述の給炭台と同じ建築模型用素材ですが，余剰パーツがあったかも？という気がしたら，ジャンクボックスの中を確認してみてください。階段がなくても，この先の工作にぴったり…といったパーツを発見するかも知れません。

似たような工作でまとめられそうなのが写真22に掲げた機関車用のパンタグラフ点検台です。これは駅構内の機待線に設置されていたものですが，降雨降雪時の作業に備えて

屋根を持っているのが特徴。2本の脚が屋根と共にデッキを支える構造となっています。手持ちの余剰パーツの中に手スリや階段と共に，島式ホームの屋根があればすぐにでも工作にかかれそうな気がします。

建物の製作で手間がかかるのはやはり窓や扉といったものでしょう。手持ちの余剰パーツにこれらが集まる壁面があったら，その有効利用を考えてみてください。

写真23に示したのは電車庫のキットに何枚も含まれていた採光用壁面ですが，ご覧のようにいくつもの窓が整然と並んでおり，何枚かを継いでいくとビルの壁面になりそうです。写真24はこれを使って製作した5階建てビルの壁面で，各階の間に帯状のプラ板を挟んで高さを調整しながら1枚に接合。1階部分は窓の下側をカットし，縁に細いプラ角棒を付けることで扉らしく見せてみました。写真25のようにこの壁面の両脇に付けたプラ角棒は言うまでもなく

補強用のものですが，そのまま側壁の取付け部分にもなってくれます。

この窓がある壁面は道路側となる正面に使い，レイアウトへの設置後には見えなくなると思われる側壁や背壁には切り出しただけのプラ板をそのまま使用。枠状に組合わせた建物本体に屋上となるプラ板を組合わせ，基礎部分にプラ帯板を貼るだけの簡単な工作にしてあります。

屋上部分に載る屋上階はエレベーター塔を兼ねたもので，この組立状態を示したのが写真26。扉がある壁面には余剰パーツを利用していますが，そのほかの3壁面はやはり切り出しただけのプラ板としました。写真27はこの屋上階の取付，そして1階扉部分に細く切った銀色のテープを貼った完成状態です。

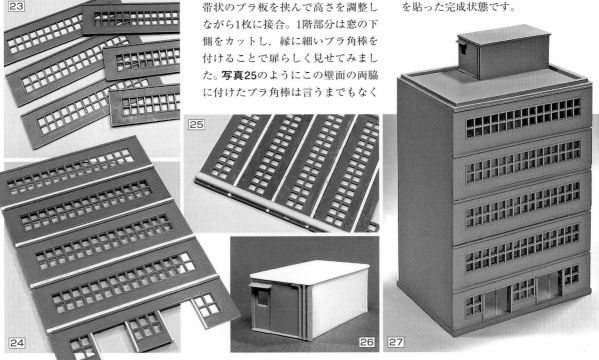

現在はこの6号が発売中となっています

発行・SHIN企画／発売・機芸出版社

(本書発行時点の在庫で，その後に品切れになっている場合があります)

Nゲージ ファイン マニュアル 1
車輌基地のストラクチャー

定価 1980円 (本体1800円＋税10%)

レイアウトの電車基地や機関車基地をリアルに仕立てるために，構内の主要設備である交検庫や仕業庫といった検修庫とその内部，機械式洗浄機や洗浄作業台，パンタグラフ点検台，通電開閉器，給油装置などの工作方法を，多くの説明イラストを交えて徹底解説。密着取材した実物についての解説や数多い参考写真も見逃せません。

Nゲージ ファイン マニュアル 7
ストラクチャーテクニック［木造建物］

定価 1980円 (本体1800円＋税10%)

駅や車輌基地に欲しい木造建物を，市販素材を使って自作する方法をまとめました。作例は駅舎，待合室，便所，ホーム上屋，線路班詰所，詰所や倉庫，農業倉庫，信号所，検修庫などさまざま。豊富な写真やイラストによる工作手順の詳しい解説，参考用の実例写真を数多く集めた内容で，レイアウトを製作中，そして製作を考えているファンにぜひご覧いただきたい1冊です。

Nゲージ ファイン マニュアル 8
イラストで見るレイアウトの製作

定価 1980円 (本体1800円＋税10%)

レイアウト製作のさまざまな工程を，すべてイラストで解説。主な内容は台枠の構成と組立，線路の敷設，ポイントとその転換，鉄橋とトンネル，各種シーナリィ素材，山と地表，川と池，塗装，草と樹木，線路関連のストラクチャーなどいろいろ。表現方法や工作方法などについて，今まであまり紹介されることがなかったアイディアやヒントもできるだけ多く含めています。

Nゲージ ファイン マニュアル 9
市販ストラクチャーの各種改造

定価 1980円 (本体1800円＋税10%)

短時間の作業で印象がかわる工作，製品化されていないものに仕立てる工作，余剰パーツ類が活用できる工作，複数の製品を組合わせる工作，レイアウトサイズや設置場所に合わせて大きさや形態を変更する工作などを集めました。ベースの製品についてはもちろん，使用素材や工具類にも特殊なものは使っていないので，すぐにでも取り掛かっていただける工作テーマばかりです。

Nゲージ ファイン マニュアル 10
模型化したい鉄道風景の実例

定価 1980円 (本体1800円＋税10%)

レイアウトの製作にも欠かせないのが車輌工作の場合と同レベルの実物観察。多くの実例を知ればデフォルメやアレンジの結果にも影響することになり，より自然で，そしてよりレイアウトに似合うものになってくるはずです。本書には蒸気機関車が走っていた時代から現代に到るまでの，模型的に興味深いと思われる写真を多数掲載し，解説も模型ファンの視点で行なっています。

Nゲージ ファイン マニュアル 11
レイアウトの留置線とその実例

定価 1980円 (本体1800円＋税10%)

エンドレスひとまわりの本線＋駅といった小型レイアウトでも，留置線を設けることで次々と別の列車の運転を楽しむことができます。本書ではさままざまな実例と併せて，レイアウトに組込みやすくて機能的な留置線，そして作例に沿って線路の配置や留置線ならではの敷設方法，関連設備の工作について詳しく解説しています。

SHIN企画のホームページでは現在発売中のほかの書籍についてもお知らせしています　https://shin-kikaku.jimdofree.com/

Nゲージファインマニュアル 12 　　　2023年11月20日発行 　　　ISBN978-4-916183-48-4

ストラクチャーのアイディア工作

編集／発行者・橋本　真©
発行所・SHIN企画　〒201-0005 東京都狛江市岩戸南1-1-1-406

発売所・ 株式会社 機 芸 出 版 社　〒157-0072 東京都世田谷区祖師谷1-15-11　　TEL 03 (3482) 6016